Délicieusement COCHON !

Recette figurant sur la couverture :
        voir page 144, *Côtelettes de porc piquantes aux pêches.*
Photos : Tango Photographie
Stylistes : Véronique Gagnon-Lalanne
            Luce Meunier
            Éric Régimbald
Conception graphique : Lorna Mulligan
Infographie : Talisman illustration-design
Révision : Nathalie Vallière

ΤORMONT

© 2005 Les Éditions Tormont inc.
338, rue Saint-Antoine Est
Montréal, Canada H2Y 1A3
Tél. (514) 954-1441
Fax (514) 954-5086
www.tormont.com

Canadä
L'éditeur remercie le ministère du Patrimoine canadien du soutien
accordé dans le cadre du Programme d'aide au développement de
l'industrie de l'édition.

Dépôt légal – Bibliothèque nationale du Québec, 2005.

ISBN 2-7641-1767-1
Imprimé en Chine

Table des matières

Pâté de foie de porc au poivre noir

10 PORTIONS

500 g	foies de porc	1 lb
350 g	bacon	¾ lb
3	échalotes, hachées finement	3
2	œufs	2
	sel	
2 ml	piment de la Jamaïque	½ c. à thé
1 ml	quatre-épices	¼ c. à thé
1 ml	gingembre moulu	¼ c. à thé
30 ml	beurre	2 c. à soupe
15 ml	farine	1 c. à soupe
250 ml	crème épaisse	1 tasse
50 ml	brandy	¼ tasse
125 ml	bouillon de poulet	½ tasse
350 g	lard maigre, tranché finement	¾ lb
500 ml	poivre noir en grains, concassé	2 tasses

· Préchauffer le four à 180 °C (350 °F).

· Nettoyer les foies et les hacher finement ou les réduire en purée avec le bacon et les échalotes.

· Dans un bol, battre les œufs, ajouter du sel, le piment de la Jamaïque, le quatre-épices et le gingembre.

· Dans une casserole, faire chauffer le beurre, mélanger avec la farine et faire dorer. Ne pas faire brunir. Ajouter la crème, le brandy et le bouillon de poulet. Laisser mijoter pour faire épaissir.

· Une fois cette préparation refroidie, l'incorporer aux œufs en pliant.

· Ajouter la purée de foie et bien mélanger en battant.

· Foncer un moule rectangulaire de la moitié du lard. Verser la préparation dans le moule, puis couvrir du reste du lard et de papier d'aluminium.

· Faire cuire au four, au bain-marie, pendant 1 h 30. Sortir du four, enlever le papier d'aluminium et laisser complètement refroidir.

· Démouler, retirer le lard et le surplus de gras. Enrober de grains de poivre. Trancher et servir avec de la confiture de canneberges.

Feuilleté au jambon et aux crevettes

4 PORTIONS

30 ml	huile végétale	2 c. à soupe
1	petit oignon, haché finement	1
2	oignons verts, tranchés	2
2	branches de céleri, hachées finement	2
1	carotte, hachée	1
250 ml	champignons, hachés	1 tasse
1	gousse d'ail, hachée finement	1
125 ml	jambon cuit, en dés	½ tasse
250 ml	crevettes nordiques, cuites et décortiquées	1 tasse
30 ml	persil haché	2 c. à soupe
1	œuf, battu	1
	sel et poivre	
4	feuilles de pâte phyllo	4

· Préchauffer le four à 190 °C (375 °F).

· Dans une poêle, faire chauffer l'huile végétale et y faire cuire à feu moyen l'oignon, les oignons verts, le céleri, la carotte, les champignons et l'ail de 3 à 5 minutes.

· Ajouter le jambon, les crevettes et le persil. Faire cuire 3 minutes. Laisser la préparation refroidir. Incorporer ensuite délicatement l'œuf battu, puis saler et poivrer.

· Humecter les bords de la pâte phyllo avec de l'eau, puis les empilez-les les unes sur les autres. Étaler la préparation aux crevettes et au jambon sur un côté de la feuille. L'enrouler.

· Déposer le rouleau sur une plaque à pâtisserie et faire cuire au four environ 20 minutes. Servir sur une jardinière de légumes sautés à l'huile d'olive, si désiré.

Salade de porc et de betteraves

4 PORTIONS

750 g	porc cuit, froid, en tranches fines	1 ½ lb
2	betteraves, cuites, pelées, en tranches fines	2
3	pommes de terre, cuites, en tranches fines	3
½	concombre, en tranches	½
15 ml	persil haché	1 c. à soupe
2	œufs durs, en quartiers	2
1	cornichon, en tranches	1
30 ml	vinaigre de vin	2 c. à soupe
60 ml	huile d'olive	4 c. à soupe
	sel et poivre	

· Dans un saladier, mettre tous les ingrédients et bien mélanger.

· Servir sur des feuilles de laitue.

Rouleaux au jambon et aux tomates séchées

4 À 6 PORTIONS

75 ml	poivron rouge haché	⅓ tasse
15 ml	persil frais haché	1 c. à soupe
75 ml	fromage à la crème, ramolli	⅓ tasse
30 ml	tomates séchées, hachées finement	2 c. à soupe
12	tranches fines de jambon cuit	12
	poivre du moulin	
	poivre de Cayenne	
	jus de citron	

· Dans un bol, mélanger tous les ingrédients, sauf le jambon. Rectifier l'assaisonnement, au goût.

· Étaler les tranches de jambon sur une surface de travail. Répartir la préparation entre les tranches, puis les rouler.

· Déposer les rouleaux de jambon dans une grande assiette, de façon à ce qu'ils ne se déroulent pas. Réfrigérer pendant 1 h.

· Couper les rouleaux en deux et servir.

Rillettes de porc

1,5 kg	longe de porc, désossée, en petits dés	3 lb
3	rognons de porc, lavés, hachés	3
2	gros oignons, en dés	2
250 g	bacon, en dés	½ lb
2 ml	quatre-épices	½ c. à thé
1 ml	clou de girofle	¼ c. à thé
	une pincée de muscade	
	sel et poivre	

· Rincer la viande sous l'eau froide et la mettre dans un bol. Ajouter les oignons et réfrigérer pendant 8 h.

· Dans une grande casserole, mettre le bacon, la viande et le reste des ingrédients. Saler et poivrer. Couvrir d'eau et porter à ébullition. Faire cuire à feu moyen pendant 1 h 30 en remuant une fois ou deux durant la cuisson. Ajouter de l'eau, s'il y a lieu.

· Lorsque la préparation est cuite, la retirer du feu et la laisser refroidir. En remplir de petits ramequins et réfrigérer. Servir froid sur des craquelins ou de fines tranches de baguette.

Canapés de prosciutto et cantaloup

8 À 10 PORTIONS

Beurre à l'ail doux

5	gousses d'ail, non pelées	5
250 g	beurre mou	½ lb
	quelques gouttes de sauce Tabasco	
	quelques gouttes de jus de citron	

Canapés

	baguette, en tranches grillées	
200 g	tranches fines de prosciutto	7 oz
½	cantaloup	½
	jus de citron	
	poivre noir du moulin	

· Dans une petite casserole remplie d'eau, faire blanchir l'ail pendant 6 minutes. Égoutter, peler et réduire en purée.

· Mettre la purée d'ail dans un bol et ajouter le reste des ingrédients pour le beurre à l'ail doux. Bien mélanger.

· Étaler le beurre à l'ail sur les tranches de baguette grillées. Couvrir de prosciutto et d'un morceau de cantaloup. Arroser de quelques gouttes de citron et poivrer. Servir.

Chaudrée Beaufort

4 À 6 PORTIONS

60 g	bacon, en lanières	2 oz
2	oignons, hachés finement	2
1	gousse d'ail, pelée et entière	1
2	grosses tomates, pelées et en dés	2
3	pommes de terre, pelées et en dés	3
1,25 litre	fumet de poisson	5 tasses
2 ml	thym séché	½ c. à thé
5 ml	persil frais haché	1 c. à thé
	une pincée de piments rouges séchés et broyés	
	sel et poivre	
2	filets de sébaste, tranchés en lanières de 1,25 cm (½ po) de large	2
250 g	crevettes, décortiquées et déveinées	½ lb
	jus de citron	

· Dans une casserole, faire cuire le bacon avec les oignons et l'ail 4 minutes à feu moyen.

· Ajouter les tomates, faire cuire 2 minutes, puis les pommes de terre, le fumet de poisson, le thym, le persil, le piment rouge. Saler et poivrer, puis porter à ébullition. Faire cuire 10 minutes à feu moyen.

· Incorporer le sébaste et les crevettes et faire cuire 4 minutes à feu doux. Arroser de jus de citron et servir.

Soupe aux pois traditionnelle

4 À 6 PORTIONS

300 ml	pois cassés jaunes	1 ¼ tasse
30 ml	beurre	2 c. à soupe
1	oignon, haché	1
1	carotte, hachée	1
1	feuille de laurier	1
	une pincée de thym	
	une pincée de basilic	
	sel et poivre	
1 litre	bouillon de poulet	4 tasses
750 ml	eau	3 tasses
125 g	jambon cuit, en dés	¼ lb
125 ml	petits pois surgelés	½ tasse

· Dans un bol, couvrir les pois cassés d'eau et les faire tremper pendant toute une nuit.

· Dans une grande casserole, faire fondre 15 ml (1 c. à soupe) de beurre et y faire cuire l'oignon et la carotte à couvert de 3 à 4 minutes.

· Ajouter les pois cassés bien égouttés, le laurier, le thym et le basilic. Saler et poivrer. Verser le bouillon de poulet et l'eau; porter à ébullition. Couvrir partiellement la casserole et faire cuire à feu moyen 30 minutes.

· Ajouter le jambon et rectifier l'assaisonnement. Couvrir partiellement et faire cuire 1 h. Quinze minutes avant la fin de la cuisson, ajouter les petits pois.

· Incorporer le reste du beurre avant de servir.

Soupe aux pois, au bacon et aux tomates

8 PORTIONS

250 ml	pois cassés jaunes	1 tasse
6	tranches de bacon, en dés (environ 125 g / 4 oz)	6
1	oignon, haché finement	1
1	carotte, hachée finement	1
2	branches de céleri, hachées finement	2
1	os de jambon	1
1 litre	bouillon de poulet	4 tasses
500 ml	eau	2 tasses
2	tomates, en dés	2
	poivre du moulin	

· Dans un bol, couvrir les pois cassés d'eau et les faire tremper pendant toute une nuit.

· Dans une casserole, faire revenir le bacon avec l'oignon, la carotte et le céleri.

· Ajouter l'os de jambon, le bouillon de poulet, l'eau et les pois cassés égouttés. Faire cuire à feu doux jusqu'à ce que les pois soient tendres.

· Retirer l'os de jambon, ajouter les tomates et poivrer. Poursuivre la cuisson encore 5 minutes avant de servir.

Soupe aux haricots blancs

4 À 6 PORTIONS

250 ml	haricots blancs secs	1 tasse
60 g	bacon, en dés	2 oz
2	oignons, hachés	2
½	branche de céleri, hachée	½
2 ml	origan séché	½ c. à thé
1	feuille de laurier	1
	sel et poivre	
1	grosse carotte, pelée et en rondelles	1

· Dans un grand bol, couvrir les haricots d'eau chaude et les faire tremper pendant 2 h.

· Dans une grande casserole, faire cuire le bacon 3 minutes, puis ajouter les oignons et le céleri. Faire cuire 4 minutes à feu doux.

· Égoutter les haricots et les mettre dans la casserole. Incorporer l'origan, le laurier et suffisamment d'eau pour couvrir les haricots de 8 cm (3 ¼ po). Saler, poivrer et porter à ébullition. Couvrir partiellement et faire cuire 1 h 30, à feu moyen, en remuant de temps à autre.

· Ajouter la carotte, rectifier l'assaisonnement et poursuivre la cuisson encore 1 h, en remuant de temps à autre.

Soupe aux haricots noirs

6 À 8 PERSONNES

250 ml	haricots noirs secs	1 tasse
125 g	bacon, en dés	¼ lb
1	oignon, haché	1
1	os de jambon charnu	1
1,75 litre	bouillon de bœuf, chaud	7 tasses
1	bouquet garni	1
2	gousses d'ail, pelées et hachées	2
	sel et poivre	

· Dans un bol, couvrir les haricots noirs d'eau froide et les faire tremper pendant 12 h. Les égoutter.

· Dans une grande casserole, faire cuire le bacon 3 minutes à feu moyen.

· Ajouter l'oignon, couvrir et faire cuire 8 minutes, en remuant une fois ou deux.

· Incorporer les haricots égouttés et le reste des ingrédients. Porter à ébullition, couvrir partiellement et faire cuire 3 h à feu moyen, en remuant de temps à autre.

Rouleaux de jambon aux œufs

4 PORTIONS

4	œufs durs, tranchés	4
16	asperges fraîches, cuites *al dente*	16
375 ml	sauce béchamel simple	1 ½ tasse
5 ml	persil frais haché	1 c. à thé
	sel et poivre	
4	tranches minces de jambon cuit	4
	une pincée de paprika	
50 ml	cheddar râpé	¼ tasse

· Préchauffer le four à 190 °C (375 °F).

· Dans une assiette creuse, mélanger délicatement les œufs, les asperges, la moitié de la sauce béchamel et le persil, puis saler et poivrer.

· Sur chaque tranche de jambon, déposer le quart de la préparation aux œufs. Faire des rouleaux et les déposer dans un plat allant au four, légèrement graissé.

· Verser le reste de la sauce béchamel sur les rouleaux, saupoudrer de paprika, parsemer de cheddar et faire cuire au four 8 minutes.

Sauce béchamel simple

60 ml	beurre	4 c. à soupe
75 ml	farine	5 c. à soupe
750 ml	lait chaud	3 tasses
	sel et poivre	

· Dans une petite casserole, faire fondre le beurre, ajouter la farine et mélanger au fouet. Faire cuire pendant 1 minute à feu doux.

· Incorporer la moitié du lait en fouettant pour obtenir une sauce épaisse. Ajouter le reste du lait graduellement ; saler et poivrer.

· Faire cuire la sauce 8 minutes à feu doux ; remuer 2 ou 3 fois pendant la cuisson.

· Recouverte de papier ciré, cette sauce se conserve jusqu'à 2 semaines au réfrigérateur.

Crêpes au prosciutto

4 À 6 PORTIONS

30 ml	beurre	2 c. à soupe
2	échalotes sèches, pelées et hachées	2
15 ml	persil frais haché	1 c. à soupe
250 g	champignons tranchés sel et poivre	8 oz
45 ml	sherry	3 c. à soupe
500 ml	sauce béchamel simple (voir p. 21)	2 tasses
8	crêpes, prêtes à servir	8
8	fines tranches de prosciutto	8
300 ml	gruyère râpé	1 ¼ tasse

· Préchauffer le four à 190 °C (375 °F).

· Dans une poêle, faire chauffer le beurre à feu moyen et y faire cuire les échalotes et le persil 3 minutes. Incorporer les champignons, saler, poivrer et poursuivre la cuisson 8 minutes.

· Verser le sherry et 125 ml (½ tasse) de sauce béchamel. Bien mélanger.

· Sur une surface de travail, étaler les crêpes, les garnir chacune d'une tranche de prosciutto et d'un peu de préparation aux champignons. Poivrer. Replier les crêpes et les placer dans un plat allant au four.

· Verser le reste de la sauce béchamel sur les crêpes, parsemer de fromage et faire cuire au four 12 minutes.

Tranches de jambon à l'érable

4 PORTIONS

15 ml	sirop d'érable	1 c. à soupe
15 ml	beurre fondu	1 c. à soupe
	jus de ½ citron	
4	tranches de jambon d'une épaisseur de 2,5 cm (1 po)	4
	poivre du moulin	

· Préchauffer le four à 190 °C (375 °F).

· Dans un petit bol, mélanger le sirop d'érable, le beurre fondu et le jus de citron. Badigeonner de ce mélange les deux côtés du jambon et le déposer dans un plat allant au four. Poivrer.

· Préchauffer le gril du four, placer le plat sur la grille supérieure et faire cuire le jambon 4 minutes de chaque côté.

Omelette au jambon et aux pommes

2 PORTIONS

30 ml	beurre	2 c. à soupe
1	petit oignon	1
½	tranche de jambon cuit, en dés	½
½	pomme, évidée, pelée, en dés	½
	sel et poivre	
15 ml	sirop d'érable	1 c. à soupe
5	œufs	5

· Dans une poêle, faire chauffer 15 ml (1 c. à soupe) de beurre et y faire cuire à feu moyen l'oignon, le jambon et les pommes de 3 à 4 minutes. Saler et poivrer.

· Ajouter le sirop d'érable et poursuivre la cuisson 2 minutes.

· Dans une autre poêle, faire chauffer le reste du beurre et y verser les œufs. Les faire cuire à feu vif 1 minute, puis les remuer rapidement. Poursuivre ensuite la cuisson 1 minute sans remuer.

· Garnir de la moitié de la garniture et plier l'omelette en deux. Faire cuire 30 secondes. Servir avec le reste de la garniture et des pommes de terre rissolées, si désiré.

Œufs Benedict

4 PORTIONS

Sauce hollandaise

350 g	beurre non salé	¾ lb
2	jaunes d'œufs	2
15 ml	eau	1 c. à soupe
5 ml	jus de citron	1 c. à thé
	sel et poivre du moulin	
2	muffins anglais, coupés en deux	2
4	tranches de jambon cuit, chaudes	4
4	œufs pochés	4
175 ml	sauce hollandaise	¾ tasse

· Mettre le beurre dans un bol en acier inoxydable, puis poser le bol sur une casserole contenant de l'eau chaude. Faire fondre le beurre à feu doux et retirer tous les dépôts.

· Dans un autre bol en acier inoxydable, mettre les jaunes d'œufs et l'eau, puis le placer aussi sur la casserole contenant de l'eau chaude. Battre au fouet 10 secondes. Poursuivre la cuisson à feu doux encore 30 secondes pour faire épaissir les jaunes d'œufs.

· Ajouter le beurre chaud très, très lentement, tout en remuant continuellement avec le fouet. Dès que la sauce est épaisse, ajouter le jus de citron, puis saler et poivrer au goût.

· Faire griller les muffins et les placer dans un plat allant au four.

· Garnir chaque demi-pain d'une tranche de jambon et d'un œuf poché. Napper de sauce hollandaise. Faire dorer sous le gril du four pendant 2 minutes.

Œufs à la sauce marchand de vin

4 PORTIONS

Sauce marchand de vin

175 ml	beurre	¾ tasse
125 ml	champignons, tranchés	½ tasse
2	oignons verts, tranchés	2
1	oignon, haché	1
3	gousses d'ail, hachées finement	3
120 g	jambon, haché finement	4 oz
30 ml	farine	2 c. à soupe
250 ml	bouillon de bœuf	1 tasse
250 ml	vin rouge	1 tasse
	sel, poivre et poivre de Cayenne	

8	minces tranches de jambon	8
8	biscottes	8
250 ml	sauce marchand de vin	1 tasse
8	tranches de tomate, grillées	8
8	œufs pochés, moelleux	8
250 ml	sauce hollandaise (voir p. 25)	1 tasse

· Dans une poêle, faire fondre le beurre à feu moyen et y faire revenir les champignons, les oignons verts, l'oignon, l'ail et le jambon.

· Ajouter la farine et remuer. Verser le bouillon de bœuf et le vin rouge, puis assaisonner au goût.

· Laisser mijoter 40 minutes à feu doux.

· Déposer une tranche de jambon sur chaque biscotte, napper de sauce marchand de vin, garnir d'une tranche de tomate, d'un œuf poché ainsi que de sauce hollandaise.

Muffins au jambon

12 MUFFINS

1	œuf, battu	1
175 ml	chapelure	¾ tasse
750 g	jambon cuit, haché	1 ½ lb
1	branche de céleri, hachée finement	1
1	oignon, haché	1
125 ml	lait écrémé	½ tasse
15 ml	moutarde forte	1 c. à soupe
30 ml	persil frais haché	2 c. à soupe
15 ml	beurre fondu	1 c. à soupe

· Préchauffer le four à 180 °C (350 °F).

· Dans un grand bol, bien mélanger tous les ingrédients, sauf le beurre fondu.

· Enduire 12 moules à muffins de beurre fondu.

· À la cuillère, répartir la préparation entre les moules. Faire cuire au four 30 minutes, ou jusqu'à ce que les muffins soient bien dorés.

· Les laisser refroidir avant de les démouler.

Petits pains au fromage

3 À 6 PORTIONS

250 ml	emmenthal râpé	1 tasse
15 ml	beurre	1 c. à soupe
2 ml	moutarde sèche	½ c. à thé
45 ml	bière	3 c. à soupe
	sel et poivre	
3	petits pains ronds, divisés en deux, grillés	3
6	œufs	6
6	tranches de jambon cuit	6
	persil haché	

· Dans une casserole, faire chauffer à feu moyen le fromage, le beurre, la moutarde sèche et la bière, en remuant continuellement, jusqu'à ce que la préparation soit lisse et crémeuse. Saler et poivrer. Retirer du feu et laisser refroidir légèrement.

· Faire chauffer le gril du four. Verser la sauce sur les demi-pains et les faire dorer sous le gril.

· Pendant ce temps, faire pocher les œufs dans de l'eau frémissante ; les égoutter.

· Garnir chaque demi-pain d'une tranche de jambon et d'un œuf poché, parsemer de persil et servir.

Note
Vous pouvez préparer la sauce à l'avance et la conserver jusqu'à 5 jours au réfrigérateur, dans un contenant hermétique.

Crêpes au jambon et aux champignons

12 PORTIONS

50 ml	beurre	¼ tasse
250 g	champignons, tranchés	7 oz
2	échalotes sèches, hachées	2
	sel et poivre	
50 ml	farine	¼ tasse
1 litre	lait	4 tasses
1 ml	muscade moulue	¼ c. à thé
12	crêpes (voir p. 30)	12
12	tranches minces de jambon de Virginie, cuit	12
175 ml	parmesan	¾ tasse
30 ml	persil frais haché	2 c. à soupe

· Préchauffer le four à 200 °C (400 °F).

· Dans une casserole, faire fondre le beurre et y faire sauter les champignons et les échalotes 5 minutes. Saler et poivrer. Ajouter la farine et bien mélanger.

· Incorporer le lait et la muscade ; mélanger avec un fouet. Faire cuire à feu doux de 10 à 12 minutes.

· Sur une surface de travail, étaler les crêpes, les garnir chacune d'une tranche de jambon et de 15 ml (1 c. à soupe) de sauce. Saupoudrer de fromage et rouler.

· Placer les crêpes dans un plat beurré allant au four. Couvrir du reste de la sauce et parsemer du reste du fromage et de persil. Faire cuire au four 12 minutes.

Crêpes au jambon et julienne de légumes

4 PORTIONS

Pâte à crêpes

175 ml	farine	¾ tasse
2 ml	sel	½ c. à thé
1	œuf	1
250 ml	lait écrémé	1 tasse
15 ml	beurre fondu	1 c. à soupe
	huile végétale	

Garniture

2	carottes, en julienne	2
2	branches de céleri, en julienne	2
1	blanc de poireau, en julienne	1
375 ml	jambon cuit, en julienne	1 ½ tasse

Sauce blanche légère

500 ml	lait écrémé	2 tasses
50 ml	farine	¼ tasse
30 ml	beurre fondu	2 c. à soupe
1 ml	muscade moulue	¼ c. à thé
	sel et poivre	
250 ml	emmenthal ou gruyère, râpé (facultatif)	1 tasse

· Au robot culinaire, travailler tous les ingrédients de la pâte à crêpes, sauf l'huile, ou encore les mettre dans un bol et les battre au fouet jusqu'à ce que la pâte soit lisse.

· Dans une poêle, faire chauffer un peu d'huile végétale et y faire dorer 50 ml (¼ tasse) de pâte des deux côtés.

· Pour la garniture : Faire cuire légèrement les légumes à la vapeur ; bien les égoutter. Dans un bol, mélanger le jambon et les légumes. En garnir chacune des crêpes. Former des rouleaux et les déposer dans un plat allant au four.

· Pour la sauce blanche : Dans une casserole, porter le lait à ébullition. Dans un petit bol, bien mélanger la farine et le beurre et incorporer au lait chaud. Assaisonner de muscade, de sel et de poivre. Lorsque la sauce a épaissi, en napper les crêpes.

· Parsemer de fromage râpé et faire dorer sous le gril du four.

Œufs brouillés à l'espagnole

4 À 6 PORTIONS

8	œufs	8
50 ml	lait écrémé	¼ tasse
	une pincée de thym	
	une pincée de poivre	
30 ml	beurre	2 c. à soupe
4	oignons verts, hachés	4
½	poivron rouge ou vert, haché	½
1	petite courgette, hachée	1
1	tomate, en dés	1
250 ml	jambon cuit, en dés	1 tasse
175 ml	fromage râpé	¾ tasse

· Dans un bol, battre les œufs, le lait, le thym et le poivre.

· Dans une poêle, faire fondre 15 ml (1 c. à soupe) de beurre et y faire cuire à feu moyen les oignons verts, le poivron, la courgette, la tomate et le jambon, jusqu'à ce que les légumes ramollissent. Réserver.

· Dans la même poêle, faire fondre le reste du beurre et y faire cuire les œufs battus à feu moyen jusqu'à ce que l'omelette soit baveuse, en remuant de temps à autre de l'extérieur vers le centre.

· Transférer dans un plat allant au four, garnir de la préparation aux légumes et au jambon, puis parsemer de fromage. Faire dorer le fromage sous le gril du four avant de servir l'omelette dans des bols, avec des tranches de pain grillées.

Haricots en pot

4 À 6 PORTIONS

500 g	petits haricots blancs	½ lb
125 g	lard salé, en dés	¼ lb
15 ml	moutarde en poudre	1 c. à soupe
1 ½	oignon, finement haché	1 ½
150 ml	ketchup aux tomates	⅔ tasse
2	gousses d'ail, hachées	2
50 ml	mélasse	¼ tasse
1,25 litre	eau chaude	5 tasses
	sel et poivre	

· Dans un grand bol, mettre les haricots et les couvrir d'eau froide. Faire tremper 12 h.

· Égoutter les haricots, les mettre dans une grande casserole et les couvrir encore une fois d'eau froide. Porter à ébullition, saler et poivrer. Faire cuire 30 minutes à feu moyen.

· Préchauffer le four à 150 °C (300 °F).

· Égoutter les haricots et les placer dans un pot en grès. Ajouter le reste des ingrédients, y compris l'eau chaude. Saler et poivrer. Couvrir et faire cuire au four pendant 3 h.

· Trente minutes avant la fin de la cuisson, retirer le couvercle.

Quiche au jambon et au fromage

6 À 8 PORTIONS

Pâte

500 ml	farine de blé entier	2 tasses
	deux pincées de sel	
125 ml	beurre	½ tasse
50 ml	eau glacée	¼ tasse
5 ml	vinaigre blanc	1 c. à thé

Garniture

120 g	emmenthal ou gruyère, râpé	4 oz
175 ml	jambon cuit, en dés	¾ tasse
3	œufs	3
300 m	lait	1 ¼ tasse
	sel et poivre	
	muscade moulue	
	persil haché	

· Dans un bol, mélanger la farine et le sel. Ajouter le beurre et l'incorporer à l'aide d'un coupe-pâte ou de deux couteaux, jusqu'à ce qu'il soit réduit en morceaux de la grosseur de petits pois. Ajouter l'eau et le vinaigre par petites quantités et mélanger légèrement avec une fourchette. Façonner en boule. Envelopper dans une pellicule de plastique et réfrigérer 30 minutes.

· Préchauffer le four à 220 °C (425 °F).

· Abaisser la pâte sur une surface de travail légèrement farinée.

· Graisser un moule à quiche de 23 cm (9 po) de diamètre. Y déposer l'abaisse de pâte en prenant soin d'en recouvrir aussi les bords. Réfrigérer.

· Dans un bol, bien mélanger tous les ingrédients de la garniture, sauf le persil, et verser dans l'abaisse.

· Placer le moule au milieu du four. Faire cuire de 40 à 50 minutes. Laisser refroidir quelques minutes. Parsemer de persil avant de servir.

Soufflé au jambon et au fromage

4 PORTIONS

90 ml	beurre	6 c. à soupe
150 ml	farine	⅔ tasse
2 ml	moutarde sèche	½ c. à thé
375 ml	lait	1 ½ tasse
375 ml	gruyère râpé	1 ½ tasse
250 ml	soc roulé de porc fumé, cuit et haché finement	1 tasse
5 ml	sauce Worcestershire	1 c. à thé
6	œufs, le blanc et le jaune séparés	6

· Préchauffer le four à 180 °C (350 °F).

· Graisser et fariner légèrement un moule à soufflé (on peut aussi utiliser quatre petits). Entourer le moule d'une haute bande de papier d'aluminium et le fixer en place avec de la ficelle. Graisser le côté intérieur du papier d'aluminium pour que le soufflé, en gonflant, n'y colle pas.

· Dans une casserole, faire fondre le beurre à feu moyen-doux, ajouter la farine et la moutarde sèche, puis faire cuire 2 minutes à feu vif, tout en remuant.

· Baisser le feu, incorporer le lait peu à peu et faire cuire jusqu'à ce que la sauce épaississe et soit lisse.

· Incorporer le fromage, le porc fumé et la sauce Worcestershire. Remuer pour faire fondre le fromage. Retirer la casserole du feu.

· Un à un, ajouter les jaunes d'œufs, en battant avec une cuillère de bois après chaque addition.

· Dans un bol, battre les blancs d'œufs en neige ferme. À l'aide d'une spatule, les incorporer à la préparation au fromage en pliant.

· Verser doucement dans le moule et faire cuire au four de 55 à 60 minutes, ou jusqu'à ce qu'un couteau inséré au milieu du soufflé en ressorte propre. Retirer la bande de papier d'aluminium et servir immédiatement. Le soufflé aura tendance à s'affaisser.

Pain de jambon à la suisse

4 PORTIONS

250 ml	farine	1 tasse
5 ml	poudre à pâte	1 c. à thé
3	œufs	3
30 ml	huile végétale	2 c. à soupe
175 ml	lait	¾ tasse
150 g	gruyère, râpé	5 oz
250 g	jambon cuit, coupé en dés	½ lb
	poivre du moulin	
	ketchup aux fruits	

· Préchauffer le four à 180 °C (350 °F).

· Au robot culinaire, mélanger la farine et la poudre à pâte, puis incorporer les œufs, l'huile végétale et le lait. Ajouter le fromage et le jambon ; mélanger. Poivrer.

· Couvrir le fond d'un moule rectangulaire de papier ciré beurré. Y verser la préparation et laisser reposer 10 minutes.

· Faire cuire au four environ 45 minutes.

· Servir le pain de jambon avec du ketchup aux fruits ou de la salsa.

39

Sandwiches porc et chutney

2 PORTIONS

Chutney aux pommes et au raisin

175 ml	vinaigre blanc	¾ tasse
5	pommes, pelées, évidées, en dés	5
150 ml	cassonade	⅔ tasse
50 ml	zeste de citron, haché	¼ tasse
50 ml	zeste d'orange, haché	¼ tasse
125 ml	gingembre confit	½ tasse
50 ml	raisin vert sans pépins, tranché	¼ tasse
1	gousse d'ail, hachée	1
1	mangue, pelée, en dés	1
1 ml	graines de moutarde	¼ c. à thé
1 ml	gingembre en poudre	¼ c. à thé
	sel et poivre	
4	tranches de pain pumpernickel	4
	mayonnaise	
	moutarde	
4	fines tranches de porc cuit	4
4	tranches de fromage gruyère	4
4	feuilles de laitue frisée	4
30 ml	chutney aux pommes et au raisin	2 c. à soupe

· Dans une casserole, porter le vinaigre à ébullition. Ajouter les pommes, couvrir partiellement et faire cuire 5 minutes.

· Ajouter le reste des ingrédients, couvrir partiellement et faire cuire 13 minutes, en remuant de temps à autre durant la cuisson.

· Laisser refroidir.

· Tartiner le pain de mayonnaise et de moutarde.

· Sur deux tranches, déposer une tranche de porc, une de fromage et une de laitue. Garnir de 15 ml (1 c. à soupe) de chutney, puis déposer une autre tranche de porc, de fromage et de laitue. Couvrir de pain et servir.

Pitas au jambon

4 PORTIONS

500 g	jambon cuit, haché	1 lb
50 ml	cornichons aigres-doux, hachés	¼ tasse
50 ml	lait écrémé	¼ tasse
375 ml	chapelure	1 ½ tasse
1	œuf	1
15 ml	huile végétale	1 c. à soupe
2	pains pitas	2
1	tomate, en tranches	1
½	concombre, en fines rondelles	½
	feuilles de laitue	

· Dans un bol, mélanger le jambon, les cornichons, le lait, la chapelure et l'œuf.

· Façonner en 4 galettes (ou en 12 à 16 boulettes, au choix).

· Dans une poêle, faire chauffer l'huile végétale à feu moyen-vif et y faire revenir les galettes des deux côtés jusqu'à ce que la surface soit dorée et croustillante.

· Ouvrir les pains, les farcir d'une ou plusieurs galettes au jambon, de tomate, de concombre et de laitue. Servir.

Note
Le jambon se hache facilement au robot culinaire ou au mélangeur.

Sandwiches au porc à la grecque

4 PORTIONS

60 ml	huile d'olive	4 c. à soupe
60 ml	jus de citron	4 c. à soupe
15 ml	moutarde douce	1 c. à soupe
2	gousses d'ail, pelées	2
5 ml	origan séché	1 c. à thé
500 g	porc maigre, en lanières	1 lb
250 ml	yogourt nature	1 tasse
250 ml	concombre, haché	1 tasse
15 ml	ail haché	1 c. à soupe
5 ml	graines de fenouil (facultatif)	1 c. à thé
2	pains pitas	2
	laitue déchiquetée	
	oignon rouge, en rondelles	

· Dans un bol, mélanger l'huile d'olive, le jus de citron, la moutarde, les gousses d'ail entières et l'origan. Verser sur le porc, couvrir et réfrigérer de 2 h à 3 h ou toute une nuit, si désiré.

· Dans un autre bol, mélanger le yogourt, le concombre, l'ail et les graines de fenouil, si désiré, ou bien réduire en une sauce lisse au robot culinaire.

· Égoutter les lanières de porc et les faire cuire dans une poêle jusqu'à ce qu'elles soient tendres et dorées. Ouvrir les pains pitas, les farcir de porc et de laitue, napper d'un peu de sauce au yogourt et garnir de rondelles d'oignon rouge. Servir.

Note
Une fois émincé et mariné, le porc cuit très rapidement.
Ne le faites pas cuire trop longtemps, car il durcira.

Pain à l'ail au jambon et au fromage

4 PORTIONS

1	baguette	1
75 ml	beurre	⅓ tasse
1 ou 2	gousses d'ail, hachées	1 ou 2
15 ml	fines herbes hachées (ciboulette, persil, etc.)	1 c. à soupe
5 ml	jus de citron	1 c. à thé
125 ml	fromage à la crème	½ tasse
4	tranches de jambon cuit, coupées en quatre	4

· Préchauffer le four à 190 °C (375 °F). Couper le pain en 4 portions. Dans chaque portion, pratiquer une incision dans le sens de la longueur de façon à ce que les tranches restent attachées les unes aux autres.

· Dans un bol, mélanger le beurre, l'ail, les fines herbes, le jus de citron et le fromage à la crème. Étaler cette préparation entre les tranches de pain ; en réserver un peu pour napper le dessus des pains. Garnir chaque sandwich d'une tranche de jambon.

· Les déposer sur une feuille de papier d'aluminium, napper du reste de la préparation au fromage et former des papillotes. Faire chauffer au four 15 minutes et servir chaud. Accompagner de salade de tomates, si désiré.

Note
Ces papillotes sont délicieuses sur le barbecue. Préparez-les à l'avance, et congelez-les jusqu'au moment de les faire cuire.

Jambon glacé

8 PORTIONS

1	jambon fumé de 2 kg (4 lb)	1
125 ml	confiture d'abricots	½ tasse
125 ml	gelée de pommes	½ tasse
15 ml	moutarde forte	1 c. à soupe
375 ml	cassonade	1 ½ tasse
1 ml	cannelle moulue	¼ c. à thé
1 ml	piment de la Jamaïque	¼ c. à thé
20	clous de girofle	20

· Couvrir le jambon d'eau et le faire tremper toute une nuit au réfrigérateur pour permettre de le dessaler.

· Dans une casserole, porter à ébullition la confiture, la gelée, la moutarde, la cassonade, la cannelle et le piment de la Jamaïque pour obtenir une glace.

· Préchauffer le four à 160 °C (325 °F).

· Sur le jambon, pratiquer des incisions de 5 mm (¼ po) de profondeur de façon à former un motif de losanges. Piquer les clous de girofle dans les losanges.

· Mettre le jambon dans une rôtissoire et le faire cuire au four environ 2 h 15. Badigeonner de glace toutes les 5 minutes pendant les 30 dernières minutes de cuisson. Servir.

Jambon glacé à l'érable

10 À 12 PORTIONS

1	jambon avec l'os de 3,5 à 4,5 kg (7 à 9 lb), bien cuit	1
50 ml	sirop d'érable	¼ tasse
15 ml	sauce soya	1 c. à soupe
15 ml	cassonade	1 c. à soupe
	une pincée de cannelle moulue	
375 ml	bouillon de poulet, chaud	1 ½ tasse
15 ml	fécule de maïs	1 c. à soupe
30 ml	eau froide	2 c. à soupe
½	poivron vert, en fines lanières	½
½	poivron rouge, en fines lanières	½

· Préchauffer le four à 180 °C (350 °F).

· Enlever le surplus de gras du jambon.

· Dans un bol, mélanger le sirop d'érable, la sauce soya et la cassonade. Badigeonner le jambon de ce mélange et saupoudrer de cannelle.

· Placer le jambon dans une rôtissoire, la partie la plus grasse vers le haut. Faire cuire au four 1 h. Arroser souvent pendant la cuisson.

· Retirer le jambon du four et réserver.

· Déposer la rôtissoire sur le feu. Y verser le bouillon de poulet, remuer et faire cuire 3 minutes.

· Diluer la fécule de maïs dans l'eau froide, verser dans la rôtissoire. Ajouter les poivrons et faire cuire à feu doux 3 minutes pour faire épaissir la sauce.

· Servir le jambon avec cette sauce.

Jambon braisé au madère

10 À 12 PORTIONS

1	jambon de 3,5 à 4,5 kg (7 à 9 lb)	1
500 ml	vin de madère	2 tasses
50 ml	cassonade	¼ tasse

· Placer le jambon dans une grande casserole et la remplir d'eau froide. Faire tremper au réfrigérateur pendant 12 h.

· Retirer le jambon de la casserole, jeter l'eau, remettre le jambon dans la casserole et le couvrir d'eau froide. Porter à ébullition et faire cuire à feu doux, partiellement couvert, de 3 h 30 à 4 h.

· Retirer le jambon de la casserole et le laisser refroidir. Retirer le surplus de gras. Remettre dans la casserole après en avoir jeté l'eau.

· Préchauffer le four à 180 °C (350 °F).

· Ajouter le vin, couvrir et faire cuire au four pendant 1 h. Badigeonner souvent de liquide.

· Retirer la casserole du four, mettre le jambon dans une rôtissoire, saupoudrer de cassonade et faire fondre sous le gril du four.

· Faire réduire la sauce au vin de moitié, puis la servir avec le jambon tranché. Accompagner de grelots et de haricots verts, si désiré.

Note
Vous pouvez conserver l'eau de cuisson du jambon; elle servira de bouillon pour les soupes et les potages. S'il y a lieu, dégraisser le bouillon avant de l'utiliser.

Jambon rosé à l'ancienne

6 À 8 PORTIONS

45 ml	épices à marinade entières	3 c. à soupe	
1	feuille de laurier		1
15 ml	moutarde sèche	1 c. à soupe	
50 ml	mélasse	¼ tasse	
45 ml	cassonade	3 c. à soupe	
50 ml	vinaigre blanc	¼ tasse	
1	jambon de 1 à 2 kg (2 à 4 lb) avec os		1

· Dans un bol, bien mélanger tous les ingrédients, sauf le jambon.

· Placer le jambon dans une casserole et le couvrir d'eau. Ajouter le mélange aux épices.

· Faire cuire à feu doux de 1 h à 2 h. Laisser ensuite le jambon refroidir dans le jus de cuisson.

· Servir avec des asperges et des patates douces, si désiré.

Variante
Enrobez le jambon du mélange aux épices, couvrez-le d'une feuille de papier d'aluminium et faites-le cuire au four à 190 °C (375 °F), de 50 à 60 minutes.

Jambon et chutney aux pommes

4 PORTIONS

5	pommes, pelées, évidées	5
2 ml	gingembre frais râpé	½ c. à thé
30 ml	mélasse	2 c. à soupe
125 ml	vinaigre de cidre	½ tasse
2	oignons, hachés finement	2
1	gousse d'ail, hachée finement	1
	une pincée de piment fort séché	
8	baies de genièvre, écrasées	8
2 ml	cannelle moulue	½ c. à thé
2 ml	clou de girofle moulu	½ c. à thé
4	tranches de jambon, cuites au four ou grillées à la poêle	4

· Au robot culinaire, hacher 3 pommes avec le gingembre et la mélasse. Verser dans une casserole et ajouter le reste des ingrédients, sauf le jambon.

· Couper les 2 autres pommes en dés et les ajouter à la préparation. Porter à ébullition, puis laisser mijoter 45 minutes à feu doux. Laisser refroidir.

· Servir le chutney aux pommes avec le jambon. Accompagner d'orge aux légumes, si désiré.

Note
Remplacez les pommes par des poires fraîches ou en boîte. Préparez le chutney à l'avance et conservez-le au réfrigérateur, dans un contenant hermétique.

Jambon avec sauce aux poires et aux canneberges

6 À 8 PORTIONS

1 litre	eau froide	4 tasses
1 litre	bière ou jus de pomme non sucré	4 tasses
2	carottes, en tronçons	2
4	oignons, en quartiers	4
1	gousse d'ail, hachée finement	1
4	branches de céleri	4
1	feuille de laurier	1
15 ml	moutarde sèche	1 c. à soupe
15 ml	épices à marinade	1 c. à soupe
1	jambon fumé de 2,5 à 3 kg (5 à 6 lb)	1

· Dans une casserole assez grande pour contenir le jambon, mettre tous les ingrédients, sauf le jambon. Faire mijoter 30 minutes, à couvert.

· Déposer le jambon dans le liquide chaud, couvrir et poursuivre la cuisson à feu très doux, sans faire bouillir, pendant environ 1 h.

· Laisser le jambon refroidir dans le liquide de cuisson. Le retirer, enlever la peau et le surplus de gras, s'il y a lieu.

· Préchauffer le four à 160 °C (325 °F).

· Placer le jambon dans un plat allant au four. Arroser avec un peu de sauce aux poires et aux canneberges. Faire cuire au four de 40 à 45 minutes. Arroser souvent de jus pendant la cuisson. Servir chaud ou froid. Accompagner de purée de pommes de terre aux fines herbes et de brocoli, si désiré.

Sauce aux poires et aux canneberges
(500 ml / 2 tasses)

500 ml	canneberges	2 tasses
250 ml	poires fraîches, pelées et râpées, ou en boîte, hachées	1 tasse
	une pincée de clou de girofle moulu	
	une pincée de quatre-épices	
175 ml	sucre	¾ tasse
50 ml	eau	¼ tasse
15 ml	jus de citron	1 c. à soupe
15 ml	zeste d'orange ou de citron, râpé	1 c. à soupe

· Dans une casserole, porter tous les ingrédients à ébullition. Couvrir, réduire le feu à doux et laisser mijoter, en remuant de temps à autre, jusqu'à ce que les canneberges éclatent.

· Filtrer la sauce ou la garder telle quelle, au choix. Servir la sauce chaude ou froide, avec le jambon cuit.

Note
Ce plat se prête bien aux réceptions. Préparez la sauce à l'avance et congelez-la. La veille, faites bouillir le jambon et laissez-le refroidir dans le liquide de cuisson avant de le mettre au réfrigérateur pour la nuit. Terminez la cuisson au four 1 h avant le repas.

Jambon gratiné

8 PORTIONS

8	tranches de jambon non cuit	8
	huile végétale	
50 ml	beurre ramolli	¼ tasse
250 ml	gruyère râpé	1 tasse
	une pincée de poivre de Cayenne	
60 ml	ciboulette hachée	4 c. à soupe

· Badigeonner les tranches de jambon d'huile végétale. Les mettre sous le gril du four, 6 minutes de chaque côté, ou jusqu'à ce que le jambon soit bien cuit.

· Dans un bol, mélanger le beurre, le fromage, le poivre de Cayenne et la ciboulette.

· Étaler sur le jambon et faire dorer sous le gril du four. Accompagner de salade verte, si désiré.

Casserole de jambon

4 PORTIONS

50 ml	porc salé, en cubes	¼ tasse
1	oignon, en dés	1
2	oignons verts, en rondelles	2
4	pommes de terre, pelées, en tranches fines	4
500 ml	jambon cuit, en dés	2 tasses
1 ml	thym	¼ c. à thé
	une pincée de muscade moulue	
	sel et poivre	
30 ml	farine	2 c. à soupe
625 ml	lait	2 ½ tasses

· Préchauffer le four à 160 °C (325 °F).

· Dans une petite casserole, faire revenir le porc salé 2 minutes. Ajouter les oignons et les oignons verts ; poursuivre la cuisson 3 minutes.

· Au fond d'un plat allant au four, étaler une couche de pommes de terre, parsemer d'oignons et de porc salé. Ajouter le jambon, puis répéter les couches. Saupoudrer de thym et de muscade ; saler et poivrer.

· Dans un bol, mélanger la farine et le lait. Verser sur la préparation, couvrir de papier d'aluminium et faire cuire au four 40 minutes. Retirer l'aluminium et poursuivre la cuisson 10 minutes. Servir.

Au barbecue

Côtes levées épicées

6 À 8 PORTIONS

Côtes levées

2,5 kg	côtes levées de porc, maigres	5 lb
1	oignon, pelé, en quartiers	1
1	carotte, pelée, tranchée	1
1	branche de céleri, en dés	1
2	feuilles de laurier	2
	thym frais	
	sel et poivre du moulin	
	poivre de Cayenne et paprika, au goût	

Sauce

50 ml	sauce soya	¼ tasse
30 ml	sauce teriyaki	2 c. à soupe
50 ml	cassonade	¼ tasse
2	gousses d'ail, pelées, tranchées	2
50 ml	vin blanc sec	¼ tasse
15 ml	gingembre frais haché	1 c. à soupe
1	piment jalapeño, épépiné, haché	1
1 ml	cinq-épices	¼ c. à thé
1 ml	muscade moulue	¼ c. à thé

· Dans une casserole, mettre tous les ingrédients des côtes levées, couvrir à peine d'eau froide et faire cuire à feu moyen pendant 30 minutes.

· Égoutter les côtes levées, les couper en deux et les déposer dans un plat creux.

· Dans une casserole, faire cuire tous les ingrédients de la sauce 3 minutes, ou jusqu'à ce que la cassonade soit bien dissoute. Verser sur les côtes levées et laisser mariner 15 minutes.

· Préchauffer le barbecue à intensité moyenne.

· Retirer les côtes levées de la marinade et les faire griller au barbecue de 20 à 25 minutes. Ajuster le temps de cuisson selon la taille. Retourner souvent et badigeonner de marinade pendant la cuisson. Servir chaud. Accompagner de riz et de bok choy, si désiré.

Côtes levées au gingembre et à l'orange

4 À 6 PORTIONS

1,5 kg	côtes levées de porc	3 lb
1	morceau de gingembre frais, de 2,5 cm (1 po) de long, haché finement	1
150 ml	miel	⅔ tasse
5 ml	concentré de légumes liquide	1 c. à thé
10 ml	moutarde forte	2 c. à thé
5 ml	piment de la Jamaïque moulu	1 c. à thé
	jus et zeste de 1 orange	

· Dans une casserole, mettre les côtes levées et les couvrir d'eau. Porter à ébullition, baisser le feu et laisser mijoter de 30 à 35 minutes. Égoutter.

· Dans une autre casserole, porter le reste des ingrédients à ébullition et faire cuire jusqu'à ce que la sauce épaississe.

· Préchauffer le barbecue à intensité moyenne.

· Faire cuire les côtes levées sur la grille chaude du barbecue de 3 à 4 minutes de chaque côté, en les badigeonnant de sauce pendant la cuisson.

· Servir avec une salade ou des pommes de terre garnies de yogourt et d'oignons verts.

Brochettes de porc et d'ananas

4 PORTIONS

Marinade

30 ml	huile végétale	2 c. à soupe
125 ml	jus de pomme non sucré	½ tasse
75 ml	mélasse	⅓ tasse
50 ml	sauce soya légère	¼ tasse
2	gousses d'ail	2
500 g	filet de porc, en cubes de 2,5 cm (1 po) de côté	1 lb

Sauce au yogourt et au concombre

175 ml	yogourt nature	¾ tasse
3	gousses d'ail, hachées finement	3
5	brins de menthe, hachés	5
50 ml	concombre, en dés	¼ tasse
4	champignons	4
1	poivron rouge ou vert, en cubes	1
1	oignon rouge, en quartiers	1
2	tranches d'ananas, en cubes	2

· Dans un bol, mélanger tous les ingrédients de la marinade. Y mettre les cubes de porc, couvrir et réfrigérer de 2 h à 3 h, en retournant la viande de temps à autre.

· Dans un autre bol, mélanger tous les ingrédients de la sauce et réfrigérer jusqu'au moment de la servir.

· Sur des brochettes, enfiler les cubes de viande, les légumes et l'ananas.

· Préchauffer le barbecue à intensité moyenne. Huiler la grille et faire cuire les brochettes de 6 à 8 minutes en les badigeonnant de marinade de temps à autre. Servir avec la sauce au yogourt et au concombre, ainsi que de la semoule de blé avec des légumes, si désiré.

Brochettes de porc teriyaki

4 PORTIONS

Marinade

75 ml	jus de citron	⅓ tasse
50 ml	sauce soya	¼ tasse
45 ml	huile végétale	3 c. à soupe
30 ml	concentré de poulet liquide	2 c. à soupe
45 ml	sauce chili	3 c. à soupe
2	gousses d'ail, hachées	2
2 ml	gingembre en poudre	½ c. à thé
1 ml	poivre	¼ c. à thé

Brochettes

500 g	longe de porc maigre ou filet de porc, coupé en cubes de 4 cm (1 ½ po) de côté	1 lb
1	poivron vert ou rouge, coupé en gros dés	1
1	oignon, en quartiers	1
8	champignons entiers ou en deux	8
8	tomates cerises	8

Sauce

125 ml	yogourt nature	½ tasse
1	gousse d'ail, hachée	1
	une pincée d'origan en poudre	

· Dans un bol, mélanger tous les ingrédients de la marinade.

· Sur des brochettes, enfiler en alternance la viande et les légumes. Déposer dans un grand plat et verser la marinade. Couvrir et réfrigérer de 2 h à 6 h ; retourner la viande de temps à autre.

· Préchauffer le barbecue à intensité moyenne.

· Retirer la viande de la marinade et la faire cuire sur la grille chaude du barbecue de 7 à 10 minutes. Badigeonner de marinade pendant la cuisson.

· Dans un bol, mélanger les ingrédients de la sauce et la servir avec les brochettes. Accompagner de vermicelles de riz, si désiré.

Brochettes de porc mandarin

4 PORTIONS

Marinade

45 ml	huile végétale	3 c. à soupe
2 ml	ail haché	½ c. à thé
30 ml	gingembre frais haché	2 c. à soupe
50 ml	coriandre fraîche hachée	¼ tasse
45 ml	sauce hoisin ou soya	3 c. à soupe
45 ml	miel	3 c. à soupe
	zeste d'orange en fine julienne	
	poivre du moulin	
300 g	longe de porc, coupée en larges lanières	10 oz
30 ml	graines de sésame (facultatif)	2 c. à soupe

· Dans un bol, mélanger tous les ingrédients de la marinade.

· Déposer la viande dans un plat, couvrir de marinade et réfrigérer de 2 h à 3 h.

· Préchauffer le gril du four ou le barbecue à intensité moyenne.

· Sur des brochettes, enfiler la viande en serpentins.

· Faire cuire environ 2 minutes de chaque côté en badigeonnant de marinade pendant la cuisson. Saler et poivrer, puis parsemer de graines de sésame, si désiré, avant de retirer les brochettes du feu.

· Garnir des zestes d'orange récupérés dans la marinade. Servir avec des asperges et du riz vapeur, si désiré.

64

Brochettes simples de porc et légumes

4 PORTIONS

750 g	longe de porc maigre ou filet de porc, coupé en cubes de 5 cm (2 po) de côté	1 ½ lb
1 ½	poivron vert, en gros morceaux	1 ½
2	petits oignons, en quartiers	2
8	pommes, en quartiers	8
12	têtes de champignon	12
45 ml	beurre à l'ail, fondu	3 c. à soupe
30 ml	sauce soya	2 c. à soupe
	sel et poivre	

· Sur quatre brochettes, enfiler en alternance des cubes de porc, des morceaux de poivron, des quartiers d'oignon, de pomme et des champignons.

· Dans un bol, mélanger le beurre à l'ail et la sauce soya. En badigeonner les brochettes. Les saler et les poivrer.

· Placer à 10 cm (4 po) sous le gril du four pendant 10 minutes. Tourner les brochettes aux trois minutes et les badigeonner de temps à autre.

· Servir avec du riz aux herbes, si désiré.

Porc au barbecue à la chinoise

4 PORTIONS

750 g	côtes premières de porc, maigres, sans os	1 ½ lb
125 ml	sauce soya légère	½ tasse
50 ml	sherry	¼ tasse
15 ml	sirop de maïs	1 c. à soupe
2	gousses d'ail, hachées finement	2
2	oignons verts, hachés	2
30 ml	huile végétale pour badigeonner	2 c. à soupe

Note
Il est important de faire tremper les brochettes de bambou ou de bois dans de l'eau, de 10 à 15 minutes, avant de les utiliser afin d'éviter qu'elles ne brûlent.

· Couper la viande de porc en lanières de 12 cm (5 po) de long, 5 cm (2 po) de large et 1,25 cm (½ po) d'épais.

· Dans un bol, mélanger la sauce soya, le sherry, le sirop de maïs, l'ail et les oignons verts. Y mettre le porc, couvrir et réfrigérer de 3 h à 4 h.

· Égoutter la viande, puis enfiler les morceaux sur les brochettes dans le sens de la longueur.

· Préchauffer le barbecue à intensité moyenne.

· Déposer les brochettes dans un plat et les badigeonner d'huile végétale. Faire griller au barbecue ou sous le gril du four de 5 à 8 minutes. Badigeonner de marinade pendant la cuisson. Servir sur un sauté de légumes, si désiré.

Côtes de porc papillon grillées

4 PORTIONS

Marinade

175 ml	vin blanc sec	¾ tasse
50 ml	jus de citron	¼ tasse
5 ml	moutarde sèche	1 c. à thé
15 ml	romarin séché	1 c. à soupe
15 ml	huile d'olive	1 c. à soupe
	poivre du moulin	
4	côtes premières de porc, désossées, chacune de 2,5 cm à 4 cm (1 à 1 ½ po) d'épais	4

· Bien mélanger tous les ingrédients de la marinade.

· Retirer le plus de gras possible des côtes de porc. Pour obtenir des côtes papillon, trancher presque entièrement les côtes en deux sur l'épaisseur. Ouvrir les 2 côtés comme un livre, et aplatir avec le plat de la lame d'un large couteau.

· Mettre les côtes de porc dans la marinade, couvrir et réfrigérer au moins 2 h.

· Préchauffer le barbecue à intensité moyenne. Égoutter la viande et la faire griller de 8 à 9 minutes de chaque côté, en la badigeonnant de marinade pendant la cuisson. Accompagner de fenouil et de rutabagas, si désiré.

Côtes de porc marinées au sirop d'érable

4 PORTIONS

Marinade

4	oignons verts, hachés finement	4
2	gousses d'ail, hachées finement	2
50 ml	sirop d'érable	¼ tasse
60 ml	ketchup	4 c. à soupe
250 ml	jus de pomme non sucré	1 tasse
	une pincée de poudre de chili	
	deux pincées de cannelle moulue	
	poivre du moulin	
4	côtes de porc, chacune de 2,5 cm (1 po) d'épais	4

· Dans un plat peu profond, mélanger tous les ingrédients de la marinade. Y mettre les côtes de porc de façon à ce qu'elles soient bien enrobées. Couvrir et réfrigérer au moins 2 h, en les retournant de temps à autre.

· Préchauffer le barbecue à intensité moyenne.

· Huiler la grille et y faire cuire la viande de 5 à 6 minutes de chaque côté. Badigeonner de marinade de temps à autre.

· Servir avec des légumes grillés.

Note
Pour éviter que les côtes de porc ne bombent à la cuisson, avant de les faire cuire, enlevez tout excès de gras et incisez les côtés avec un couteau bien aiguisé.

Côtes courtes barbecue

4 PORTIONS

Marinade

50 ml	sauce soya	¼ tasse
45 ml	sirop d'érable	3 c. à soupe
30 ml	huile végétale	2 c. à soupe
30 ml	vinaigre de vin	2 c. à soupe
15 ml	jus de citron	1 c. à soupe
15 ml	gingembre frais râpé	1 c. à soupe
2	gousses d'ail, réduites en purée	2
	quelques gouttes de sauce Tabasco	
4	côtes courtes de porc, chacune de 2,5 cm (1 po) d'épais	4

· Dans un bol, mélanger tous les ingrédients de la marinade et y mettre la viande. Couvrir et réfrigérer 3 h. Retourner les côtes de temps à autre.

· Préchauffer le barbecue à faible intensité. Égoutter les côtes de porc et les faire griller de 35 à 40 minutes. Badigeonner souvent de marinade pendant la cuisson. Servir.

Côtelettes de porc barbecue, sauce à l'orange

4 PORTIONS

	jus de 1 ½ orange	
50 ml	cassonade	¼ tasse
125 ml	eau	½ tasse
2	feuilles de menthe	2
	poivre du moulin	
4	côtelettes de porc, le gras tailladé en croix pour éviter qu'elles ne retroussent	4

· Dans une casserole, porter à ébullition le jus d'orange, la cassonade, l'eau, les feuilles de menthe et du poivre et faire cuire à feu vif de 3 à 4 minutes.

· Laisser refroidir le liquide, puis en badigeonner généreusement les côtelettes de porc.

· Préchauffer le barbecue à intensité moyenne.

· Faire cuire sur la grille chaude du barbecue environ 10 minutes, selon la taille. Retourner 3 fois pendant la cuisson et badigeonner de sauce 4 fois. Servir avec du riz, si désiré.

Côtelettes de porc aux noix hachées

4 PORTIONS

4	côtelettes de porc, maigres et désossées	4
20 ml	moutarde forte	4 c. à thé
75 ml	noix de pacane moulues	⅓ tasse
20 ml	beurre ramolli	4 c. à thé
2 ml	basilic séché	½ c. à thé
2 ml	thym séché	½ c. à thé
30 ml	graines de sésame	2 c. à soupe

· Badigeonner les côtelettes de porc de moutarde sur les deux faces.

· Dans un bol, mélanger le reste de la moutarde, les noix, le beurre, le basilic, le thym et les graines de sésame.

· Préchauffer le barbecue à intensité moyenne.

· Déposer les côtelettes de porc sur la grille chaude et huilée du barbecue et faire cuire de 5 à 7 minutes. Retourner et poursuivre la cuisson 5 minutes.

· Badigeonner le dessus des côtelettes avec la préparation aux noix et poursuivre la cuisson 3 minutes, ou jusqu'à ce que la viande ait perdu sa teinte rosée à l'intérieur.

· Servir avec des échalotes sèches grillées et des patates douces, si désiré.

Filet de porc aux fines herbes

4 PORTIONS

Marinade

2 ml	thym séché	½ c. à thé
2 ml	romarin séché	½ c. à thé
	zeste de ½ citron, râpé	
	jus de 1 citron	
4	gousses d'ail, écrasées	4
15 ml	gingembre frais haché	1 c. à soupe
15 ml	huile d'olive	1 c. à soupe
20 ml	miel	4 c. à thé
	poivre du moulin	
45 ml	beurre	3 c. à soupe
375 g	filet de porc	¾ lb
	zeste de citron, coupé en julienne	

· Au robot culinaire, bien mélanger les ingrédients de la marinade, sauf le beurre.

· Ajouter ensuite le beurre et mélanger de nouveau.

· Enrober le filet de marinade, disposer dans un plat, verser le reste de la marinade, couvrir et réfrigérer au moins 4 h.

· Préchauffer le barbecue à intensité moyenne.

· Égoutter le filet de porc et réserver la marinade. Faire cuire sur le barbecue 12 minutes, ou selon le degré de cuisson désiré.

· Verser la marinade dans une petite casserole et porter à ébullition.

· Trancher le porc, garnir de zeste de citron et servir avec la marinade chaude et des tranches d'aubergines grillées, si désiré.

72

Filets de porc barbecue

4 PORTIONS

Marinade

45 ml	huile végétale	3 c. à soupe
2	gousses d'ail, hachées	2
15 ml	sauce soya	1 c. à soupe
45 ml	sauce chili	3 c. à soupe
5 ml	moutarde forte	1 c. à thé
	jus de ¼ citron	
	sel et poivre	
2	filets de porc, coupés en deux	2

· Dans un bol, mélanger tous les ingrédients de la marinade.

· Préchauffer le barbecue à intensité moyenne.

· En badigeonner les filets et les faire cuire sur la grille chaude et huilée du barbecue 12 minutes. Retourner la viande 2 ou 3 fois pendant la cuisson et arroser de marinade de temps à autre.

· Accompagner d'endives et de poivrons grillés, si désiré.

Côtelettes de porc barbecue à l'ancienne

4 PORTIONS

Marinade

75 ml	vinaigre de cidre	⅓ tasse
50 ml	ketchup	¼ tasse
30 ml	cassonade	2 c. à soupe
½	oignon, haché finement	½
5 ml	romarin	1 c. à thé
5 ml	sauce Worcestershire	1 c. à thé
	poivre du moulin	
4	côtelettes de porc, épaisses de 2 cm (¾ po), dégraissées	4

· Dans une petite casserole, faire cuire tous les ingrédients de la marinade 5 minutes à feu moyen. Laisser refroidir.

· Badigeonner les côtelettes de marinade et laisser reposer 15 minutes.

· Préchauffer le barbecue à intensité moyenne. Huiler la grille.

· Faire cuire la viande à découvert 5 minutes de chaque côté. Badigeonner 4 ou 5 fois de marinade pendant la cuisson.

· Servir avec des tomates et des courgettes grillées, si désiré.

très très bon

Côtelettes de porc aux champignons

4 PORTIONS

5	grosses carottes, pelées	5
4	grosses pommes de terre, pelées	4
8	petits oignons blancs	8
15 ml	huile végétale	1 c. à soupe
30 ml	beurre	2 c. à soupe
8	côtelettes de porc minute, dégraissées	8
	sel et poivre	
250 g	champignons frais, en quartiers	8 oz
5 ml	ciboulette hachée	1 c. à thé
250 ml	sauce brune, chaude	1 tasse
1 ml	basilic	¼ c. à thé

· Préchauffer le four à 70 °C (150 °F).

· À l'aide d'une cuillère parisienne, couper des boules dans les carottes et les pommes de terre. Dans une casserole, porter de l'eau salée à ébullition et y faire cuire les boules de carottes 3 minutes.

· Ajouter les boules de pommes de terre et poursuivre la cuisson 6 minutes, puis les petits oignons blancs, et faire cuire 2 minutes de plus. Égoutter les légumes et réserver.

· Dans une grande poêle, faire chauffer l'huile végétale et la moitié du beurre et y faire cuire le porc à feu moyen-vif de 3 à 4 minutes.

· Saler et poivrer, puis retourner la viande et poursuivre la cuisson de 3 à 4 minutes. Retirer le porc de la poêle et tenir au chaud dans le four.

· Dans la même poêle, faire fondre le reste du beurre et y faire sauter à feu moyen les champignons, les carottes, les pommes de terre et les petits oignons blancs 3 minutes. Parsemer de ciboulette, puis saler et poivrer. Incorporer la sauce brune et le basilic, laisser mijoter quelques minutes à feu doux. Servir avec les côtelettes de porc. Accompagner de choux de Bruxelles, si désiré.

Côtelettes de porc à la dijonnaise

6 PORTIONS

30 ml	beurre	2 c. à soupe
5 ml	huile végétale	1 c. à thé
6	côtelettes de porc dans l'épaule	6
2	échalotes sèches, tranchées	2
2	gousses d'ail, hachées finement	2
125 ml	vin blanc	½ tasse
125 ml	crème épaisse	½ tasse
30 ml	moutarde forte	2 c. à soupe

· Dans une poêle, faire chauffer 15 ml (1 c. à soupe) de beurre et l'huile végétale et y faire cuire les côtelettes de porc de 8 à 10 minutes de chaque côté.

· Dans une casserole, faire fondre le reste du beurre et y faire revenir les échalotes et l'ail jusqu'à ce qu'ils soient tendres.

· Verser le vin blanc et laisser mijoter jusqu'à ce que le liquide soit presque tout évaporé.

· Dans un bol, mélanger la crème et la moutarde, puis incorporer à la sauce. Faire chauffer 2 minutes.

· Verser sur les côtelettes de porc ; accompagner de brocoli et de radis, si désiré.

Côtelettes de porc papillon à la sauce aux prunes

4 PORTIONS

15 ml	huile végétale	1 c. à soupe
4	côtelettes de porc papillon	4
	sel et poivre	
30 ml	beurre	2 c. à soupe
2	oignons, tranchés	2
15 ml	piment rouge, mariné, haché finement	1 c. à soupe
250 ml	sauce aux prunes	1 tasse

· Préchauffer le four à 70 °C (150 °F).

· Dans une poêle, faire chauffer l'huile végétale et y faire cuire les côtelettes 3 minutes de chaque côté. Saler et poivrer. Tenir au chaud dans le four.

· Dans une autre poêle, faire fondre le beurre et y faire revenir les oignons de 7 à 9 minutes à feu moyen. Remuer de temps à autre.

· Ajouter les piments rouges et poursuivre la cuisson 1 minute.

· Saler, poivrer et incorporer la sauce aux prunes. Faire cuire 2 minutes.

· Servir les oignons avec le porc. Accompagner de poivrons orange et de nouilles chinoises, si désiré.

Côtelettes de porc cajuns

4 PORTIONS

1 ml	poivre noir	¼ c. à thé
1 ml	paprika	¼ c. à thé
1 ml	poivre de Cayenne	¼ c. à thé
1 ml	origan séché	¼ c. à thé
1 ml	thym séché	¼ c. à thé
1 ml	gingembre moulu	¼ c. à thé
8	côtelettes de longe de porc	8
30 ml	beurre	2 c. à soupe
	sel	
1	oignon, tranché	1
1	poivron vert, en lanières	1
1	poivron rouge, en lanières	1
30 ml	farine	2 c. à soupe
375 ml	bouillon de poulet, chaud	1 ½ tasse
5 ml	miel	1 c. à thé

· Dans un bol, mélanger les 6 premiers ingrédients. Frotter les côtelettes avec la moitié de ce mélange.

· Dans une grande poêle, faire chauffer le beurre et y faire cuire les côtelettes à feu moyen 3 minutes de chaque côté. Saler et réserver.

· Dans la poêle chaude, faire cuire l'oignon à feu moyen, 3 minutes. Ajouter les poivrons et le reste du mélange d'épices et aromates. Mélanger et faire cuire 7 minutes.

· Saupoudrer de farine, mélanger et poursuivre la cuisson 3 minutes.

· Incorporer le bouillon de poulet et le miel. Faire cuire à feu doux 5 minutes. Remettre les côtelettes dans la poêle et laisser mijoter 2 minutes. Servir.

Filets de porc au sherry et au gingembre

4 PORTIONS

2	filets de porc, dégraissés, coupés en tranches épaisses de 1,25 cm (½ po)	2
45 ml	sherry	3 c. à soupe
30 ml	fécule de maïs	2 c. à soupe
15 ml	sauce soya	1 c. à soupe
15 ml	gingembre frais haché	1 c. à soupe
15 ml	huile d'olive	1 c. à soupe
	jus de ½ citron	
	sel et poivre	
30 ml	huile végétale	2 c. à soupe
12	champignons frais, coupés en trois	12
1	gros poivron vert, en lanières	1
1	branche de céleri, tranchée	1
1	pomme, en quartiers	1
200 g	pousses de bambou, tranchées, égouttées	6 oz

· Dans un grand bol, mettre le porc, le sherry, la fécule de maïs, la sauce soja, le gingembre, l'huile d'olive et le jus de citron. Saler et poivrer; faire mariner 30 minutes.

· Dans une grande poêle, faire chauffer 15 ml (1 c. à soupe) d'huile végétale à feu vif et y saisir la moitié de la viande 3 minutes. Retirer la viande de la poêle. Saisir le reste de la viande dans la poêle chaude. Retirer de la poêle et réserver.

· Dans la même poêle, faire cuire à feu moyen-vif les champignons, le poivron et le céleri 3 minutes.

· Ajouter 15 ml (1 c. à soupe) d'huile végétale et mélanger. Ajouter les pommes et les pousses de bambou. Rectifier l'assaisonnement et faire cuire de 3 à 4 minutes à feu vif.

· Remettre le porc dans la poêle, faire chauffer quelques minutes et servir.

Tournedos de porc à la sauge

4 PORTIONS

15 ml	huile végétale	1 c. à soupe
4	tournedos de porc, chacun de 150 g (5 oz)	4
2	échalotes sèches, hachées	2
125 ml	vin blanc sec	½ tasse
250 ml	bouillon de poulet	1 tasse
15 ml	fécule de maïs	1 c. à soupe
30 ml	eau froide	2 c. à soupe
30 ml	crème sure	2 c. à soupe
15 ml	moutarde forte	1 c. à soupe
30 ml	sauge fraîche hachée ou 10 ml (2 c. à thé) de sauge séchée	2 c. à soupe

· Dans une poêle, faire chauffer l'huile végétale et y faire cuire le porc à feu moyen-vif environ 6 minutes de chaque côté. Retirer de la poêle et tenir au chaud.

· Enlever le surplus de gras de la poêle, puis y faire revenir les échalotes jusqu'à ce qu'elles soient ramollies. Verser le vin blanc et le bouillon de poulet.

· Diluer la fécule de maïs dans l'eau froide, puis incorporer à la poêle, ainsi que la crème sure, la moutarde et la sauge. Servir les tournedos avec cette sauce. Accompagner de haricots verts et de pâtissons, si désiré.

Note
Les tournedos sont d'épaisses tranches de viande prélevées dans le filet, entourées d'une mince tranche de lard et maintenue en place par de la ficelle. Vous pouvez les remplacer par d'épaisses tranches de longe de porc.

Porc sauté aux pousses de bambou

4 PORTIONS

45 ml	huile végétale	3 c. à soupe
30 ml	gingembre frais râpé	2 c. à soupe
3	oignons verts, hachés	3
2	branches de céleri, en biseau	2
225 g	champignons, en quartiers	7 ½ oz
	sel et poivre du moulin	
1 kg	filet de porc, coupé en lanières	2 lb
30 ml	sauce soya	2 c. à soupe
125 ml	vin blanc sec	½ tasse
125 ml	pousses de bambou en boîte, égouttées	½ tasse
1	gousse d'ail, hachée	1
375 ml	bouillon de poulet	1 ½ tasse
5 ml	fécule de maïs	1 c. à thé
30 ml	eau froide	2 c. à soupe

· Dans une poêle, faire chauffer l'huile végétale à feu moyen et y faire cuire le gingembre, les oignons verts et le céleri 1 minute. Ajouter les champignons, saler et poivrer, puis poursuivre la cuisson 3 minutes. Retirer les légumes de la poêle.

· Dans la même poêle, faire cuire le porc 4 minutes à feu vif. Saler et poivrer durant la cuisson. Retirer la viande de la poêle.

· Toujours dans la même poêle, faire chauffer la sauce soya et le vin 3 minutes. Incorporer les pousses de bambou, l'ail et le bouillon de poulet ; porter à ébullition.

· Dans un petit bol, diluer la fécule de maïs dans l'eau froide. Incorporer à la sauce. Remettre les légumes et la viande dans la poêle et rectifier l'assaisonnement. Faire cuire 6 minutes à feu doux et servir.

Médaillons de porc à la crème d'oignon

4 PORTIONS

2	filets de porc de taille moyenne	2
1	gousse d'ail, coupée en deux	1
30 ml	beurre	2 c. à soupe
1	oignon, haché finement	1
125 ml	vinaigre aromatisé aux fruits ou vin blanc sec	½ tasse
500 ml	eau	2 tasses
125 ml	crème à 15 %	½ tasse
30 ml	ciboulette hachée poivre	2 c. à soupe

Note
Une fois que les médaillons ont été dorés à la poêle sur les deux côtés, on peut aussi poursuivre la cuisson au four à 200 °C (400 °F) environ 5 minutes pour des médaillons légèrement rosés.

· Trancher les filets de porc en médaillons épais de 2,5 cm (1 po). Frotter avec l'ail.

· Dans une poêle, faire fondre 15 ml (1 c. à soupe) de beurre à feu moyen-vif et y faire dorer l'oignon.

· Déglacer la poêle au vinaigre, puis verser l'eau. Faire cuire doucement jusqu'à ce que l'eau soit complètement évaporée.

· Au robot culinaire, réduire l'oignon en purée. Verser dans la poêle, faire chauffer à feu doux et incorporer la crème.

· Parsemer de ciboulette et poivrer.

· Dans une autre poêle, faire chauffer le reste du beurre à feu moyen-vif et y faire cuire les médaillons de porc de 4 à 7 minutes, ou selon le degré de cuisson désiré. Retourner une fois pendant la cuisson. Servir avec la crème d'oignon. Accompagner de courge musquée et de chou-fleur, si désiré.

Porc aux cornichons

4 PORTIONS

15 ml	huile végétale	1 c. à soupe
4	côtelettes de porc, épaisses de 2 cm (¾ po), sans os ni gras	4
	sel et poivre	
2	oignons, tranchés	2
1	branche de céleri, tranchée	1
45 ml	vinaigre de vin	3 c. à soupe
375 ml	bouillon de bœuf	1 ½ tasse
15 ml	concentré de tomates	1 c. à soupe
2	gros cornichons, en julienne	2
15 ml	fécule de maïs	1 c. à soupe
45 ml	eau froide	3 c. à soupe

· Dans une poêle, faire chauffer l'huile végétale à feu moyen et y faire cuire les côtelettes de 3 à 4 minutes. Retourner la viande, saler et poivrer, puis poursuivre la cuisson de 3 à 4 minutes. Retirer les côtelettes de la poêle et tenir au chaud.

· Dans la même poêle, faire cuire les oignons et le céleri 7 minutes à feu moyen. Arroser de vinaigre de vin et faire cuire 3 minutes.

· Incorporer le bouillon de bœuf, le concentré de tomates et les cornichons ; bien remuer et faire cuire de 3 à 4 minutes à feu vif.

· Dans un bol, diluer la fécule de maïs dans l'eau froide. Incorporer à la sauce et faire cuire 2 minutes à feu vif.

· Servir les côtelettes avec la sauce. Accompagner de quartiers de pommes de terre et de gombos, si désiré.

Porc sauté aux courgettes

4 PORTIONS

30 ml	huile d'olive	2 c. à soupe
1	courgette, en lanières	1
2	branches de céleri, tranchées	2
1	poivron rouge, en gros morceaux	1
2	pommes, pelées, évidées, en quartiers	2
2	gousses d'ail, hachées	2
	sel et poivre	
8	côtelettes de porc, dégraissées, coupées en lanières	8
15 ml	persil frais haché	1 c. à soupe
	paprika, au goût	

· Dans une poêle, faire chauffer la moitié de l'huile d'olive à feu vif et y faire sauter la courgette, le céleri, le poivron, les pommes et l'ail 3 minutes. Saler et poivrer.

· Bien mélanger et poursuivre la cuisson à feu moyen 3 minutes. Les retirer de la poêle.

· Dans la même poêle, faire chauffer le reste de l'huile d'olive à feu moyen et y faire revenir les côtelettes de porc 3 minutes de chaque côté. Saler et poivrer.

· Remettre les légumes et les pommes dans la poêle. Ajouter le persil, assaisonner de sel, de poivre et de paprika. Faire chauffer 2 minutes et servir.

Longe de porc au cari, en lanières

4 PORTIONS

30 ml	huile végétale	2 c. à soupe
750 g	longe de porc, coupée en lanières	1 ½ lb
	sel et poivre	
1	gros oignon, tranché	1
25 ml	poudre de cari	1 ½ c. à soupe
375 ml	bouillon de poulet, chaud	1 ½ tasse
15 ml	fécule de maïs	1 c. à soupe
30 ml	eau froide	2 c. à soupe

· Dans une poêle, faire chauffer l'huile végétale et y faire cuire la viande à feu moyen-vif 2 minutes de chaque côté.

· Saler et poivrer ; retirer la viande de la poêle et réserver.

· S'il y a lieu, ajouter un peu d'huile végétale dans la poêle et y faire revenir l'oignon à feu moyen de 4 à 5 minutes.

· Incorporer la poudre de cari et poursuivre la cuisson de 2 à 3 minutes. Saler et poivrer.

· Verser le bouillon de poulet et porter à ébullition. Saler, poivrer et faire cuire à feu doux de 8 à 10 minutes.

· Dans un petit bol, diluer la fécule de maïs dans l'eau froide. Incorporer à la sauce. Remettre le porc dans la poêle et laisser mijoter quelques minutes avant de servir. Accompagner de riz aux pois chiches et aux légumes, si désiré.

Tranches de porc au vermouth

6 PORTIONS

3	filets de porc, coupés en médaillons, épais de 1,25 cm (½ po)	3
	poivre	
2 ml	paprika	½ c. à thé
50 ml	farine	¼ tasse
30 ml	huile végétale	2 c. à soupe
15 ml	beurre	1 c. à soupe
5 ml	échalote sèche hachée	1 c. à thé
5 ml	pâte de tomates	1 c. à thé
50 ml	vin rouge sec	¼ tasse
250 ml	bouillon de poulet	1 tasse
30 ml	vermouth blanc sec	2 c. à soupe

· Avec le plat d'un couteau, aplatir légèrement les médaillons de porc placés entre deux feuilles de papier ciré.

· Saupoudrer d'un peu de poivre et de paprika. Fariner.

· Dans une poêle, faire chauffer l'huile végétale à feu moyen-vif et y faire dorer les tranches des deux côtés. Retirer de la poêle et égoutter sur du papier absorbant.

· Les déposer dans un plat de service et tenir au chaud.

· Dans la même poêle, faire fondre le beurre et y faire sauter l'échalote. Saupoudrer d'un peu de farine et remuer jusqu'à ce que le beurre brunisse.

· Ajouter la pâte de tomates, bien mélanger. Verser le vin rouge et poursuivre la cuisson à feu moyen pour faire réduire le liquide de moitié.

· Ajouter ensuite le bouillon de poulet et faire cuire quelques minutes. Incorporer le vermouth, puis filtrer la sauce.

· Napper le porc de sauce et servir avec des épinards, des petits oignons blancs et de la purée de céleri-rave, si désiré.

Longe de porc rôtie avec légumes

4 À 6 PORTIONS

30 ml	beurre	2 c. à soupe
2 ml	poivre noir	½ c. à thé
2 ml	poivre de Cayenne	½ c. à thé
2 ml	thym	½ c. à thé
2 ml	moutarde sèche	½ c. à thé
5 ml	origan	1 c. à thé
2	gousses d'ail, hachées	2
2 kg	rôti de longe de porc	4 lb
	sel et poivre du moulin	
15 ml	huile d'olive	1 c. à soupe
1	branche de céleri, en biseau	1
2	carottes, pelées, en biseau	2
1	poivron rouge, en morceaux	1
45 ml	farine	3 c. à soupe
125 ml	bouillon de poulet, chaud	½ tasse

· Préchauffer le four à 150 °C (300 °F).

· Dans une poêle, faire chauffer le beurre à feu moyen et y faire cuire 1 minute les 6 ingrédients qui suivent dans la liste.

· Pratiquer de petites incisions profondes dans la viande et les remplir du mélange à l'ail cuit. Étaler le reste sur le rôti ; saler et poivrer.

· Dans une rôtissoire, faire chauffer l'huile d'olive à feu moyen et y déposer la viande. Entourer de légumes, saler et poivrer, puis faire cuire au four 2 h.

· Quinze minutes avant la fin de la cuisson, augmenter la température du four à 220 °C (425 °F) pour bien faire dorer la viande.

· Retirer le rôti du plat et laisser reposer 10 minutes.

· Mettre la rôtissoire sur le feu. Saupoudrer les légumes de farine, mélanger et faire cuire 3 minutes à feu moyen. Incorporer le bouillon de poulet et poursuivre la cuisson 6 minutes. Filtrer la sauce et la servir avec le rôti.

Tourtière du Lac-Saint-Jean

4 À 6 PORTIONS

1	poulet de 1,5 kg (3 lb), désossé, sans la peau et coupé en dés	1
500 g	porc, en dés	1 lb
500 g	veau, en dés	1 lb
1	petit lapin, désossé, en dés	1
1	gros oignon, en dés	1
1 ml	clou de girofle	¼ c. à thé
2 ml	cannelle moulue	½ c. à thé
1	gousse d'ail, hachée	1
	sel et poivre du moulin	
	pâte brisée, suffisamment pour couvrir le fond, les bords et le dessus du plat	
3	pommes de terre, pelées, en dés	3

· Dans un grand bol, mettre les 8 premiers ingrédients, saler et poivrer, puis réfrigérer 12 h.

· Préchauffer le four à 190 °C (375 °F).

· Abaisser la pâte et en foncer le fond et les bords d'une rôtissoire. Étaler une couche de viande au fond du plat, couvrir d'une couche de pommes de terre, saler et poivrer. Répéter les couches. Couvrir d'eau. Recouvrir de pâte et sceller les bords.

· Faire cuire au four 40 minutes. Réduire ensuite la température à 120 °C (250 °F) et poursuivre la cuisson pendant 2 h 30. Servir avec une salade, si désiré.

Couronne de porc

	sel et poivre du moulin	
1	carré de porc, coupé en 16	1
60 ml	beurre	4 c. à soupe
1	branche de céleri, en dés	1
30 ml	sucre	2 c. à soupe
250 ml	canneberges	1 tasse
	zeste de 1 orange, râpé	
2 ml	cannelle moulue	½ c. à thé
1 ml	piment de la Jamaïque moulu	¼ c. à thé
	jus de 1 orange	
125 ml	noix du Brésil, hachées	½ tasse
1 litre	pain blanc, en cubes	4 tasses

· Préchauffer le four à 180 °C (350 °F).

· Saler et poivrer le carré de porc. Tapisser de papier d'aluminium une plaque à pâtisserie.

· Y placer le porc en couronne, les os vers le haut. Couvrir le bout des côtes de papier d'aluminium pour ne pas qu'elles brûlent. Faire cuire au four pendant 1 h.

· Entre-temps, dans une poêle, faire fondre le beurre et y faire cuire le céleri jusqu'à ce qu'il soit tendre. Incorporer le sucre, le dissoudre, puis ajouter les canneberges, le zeste d'orange, la cannelle et le piment de la Jamaïque. Retirer du feu.

· Incorporer le jus d'orange, les noix du Brésil et le pain. Bien enrober le pain de sauce.

· Déposer la farce au centre de la couronne et couvrir de papier d'aluminium pour éviter qu'elle ne brûle. Poursuivre la cuisson 1 h, ou jusqu'à ce que le porc soit tendre.

· Dresser la couronne dans un plat de service et servir avec la farce.

Casserole de porc à la provençale

6 PORTIONS

60 ml	beurre	4 c. à soupe
1 kg	filets de porc, en fines tranches	2 lb
3	oignons, en fines tranches	3
	sel et poivre du moulin	
4	tomates, en fines tranches	4
5 ml	herbes de Provence	1 c. à thé
125 ml	bouillon de poulet	½ tasse
3	pommes de terre, pelées et en fines tranches	3
15 ml	ciboulette hachée	1 c. à soupe

· Dans une poêle, faire fondre 30 ml (2 c. à soupe) de beurre et faire sauter les tranches de porc en veillant à ne pas les faire brûler. Réserver.

· Dans la même poêle, faire cuire les oignons jusqu'à ce qu'ils soient transparents.

· Préchauffer le four à 180 °C (350 °F).

· Dans un plat allant au four, superposer quatre couches : au fond mettre les tranches de porc, puis tous les oignons ; saler et poivrer. Étaler les tomates, saler et poivrer, parsemer d'herbes de Provence, arroser de bouillon de poulet, puis terminer avec les pommes de terre.

· Faire fondre le reste du beurre et en badigeonner les pommes de terre.

· Couvrir et faire cuire au four 40 minutes.

· À découvert, poursuivre la cuisson de 7 à 10 minutes pour faire dorer les pommes de terre. Parsemer de ciboulette avant de servir.

Palette de porc fumée et glacée

4 PORTIONS

15 ml	huile d'olive	1 c. à soupe
1	carotte, tranchée	1
1	branche de céleri, tranchée	1
1 ml	romarin séché	¼ c. à thé
1	brin de thym	1
1	feuille de laurier	1
75 ml	vin blanc sec	⅓ tasse
75 ml	jus de pomme non sucré	⅓ tasse
125 ml	bouillon de poulet	½ tasse
4	tranches de palette de porc fumée, chacune de 120 g (4 oz)	4

· Dans une casserole, faire chauffer l'huile d'olive et y faire cuire la carotte, le céleri, le romarin, le thym et le laurier jusqu'à ce que les légumes soient tendres.

· Verser le vin blanc, le jus de pomme et le bouillon de poulet et faire cuire à feu doux 5 minutes.

· Préchauffer le four à 180 °C (350 °F).

· Dans une poêle, faire griller les tranches de porc jusqu'à ce qu'elles brunissent légèrement.

· Disposer les tranches les unes à côté des autres, dans un plat allant au four. Napper de sauce. Faire cuire au four 5 minutes avant de servir. Accompagner de légumes sautés, si désiré.

Note
La palette de porc est moins grasse que le jambon. Dans cette recette, vous pouvez utiliser une viande ou l'autre. Si vous la faites dorer sous le gril du four, profitez-en pour ajouter quelques lanières de poivrons et des morceaux de courgettes, légèrement huilés, dans votre plat de cuisson.

Côtes levées au gingembre et au miel

6 PORTIONS

1 kg	trains de côtes de porc	2 lb
	sel	
5 ml	gingembre moulu	1 c. à thé
5 ml	quatre-épices	1 c. à thé
1 ml	ail en poudre	¼ c. à thé
50 ml	sauce soya	¼ tasse
250 ml	miel	1 tasse

· Séparer les côtes en coupant la chair entre les os.

· Préchauffer le four à 180 °C (350 °F).

· Saupoudrer la viande de sel, de gingembre, de quatre-épices et d'ail en poudre.

· Dans un bol, mélanger la sauce soya et le miel. En badigeonner la viande.

· Faire cuire au four 1 h 30, ou jusqu'à ce que le porc soit très tendre, en arrosant souvent de sauce pendant la cuisson.

· Servir avec des légumes sautés au wok, si désiré.

Côtes levées piquantes

4 PORTIONS

2 kg	côtes levées	4 lb
60 ml	huile d'olive	4 c. à soupe
60 ml	jus de citron	4 c. à soupe
30 ml	vinaigre de vin	2 c. à soupe
30 ml	sauce teriyaki	2 c. à soupe
3	gousses d'ail, blanchies, pelées et hachées	3
	quelques gouttes de sauce Tabasco	
125 ml	sauce chili	½ tasse
125 ml	ketchup	½ tasse
60 ml	bouillon de bœuf, chaud	4 c. à soupe
	sel et poivre	

· Placer le porc dans un grand plat. Dans un bol, mélanger l'huile d'olive, le jus de citron, le vinaigre de vin, la sauce teriyaki, l'ail et la sauce Tabasco. En enrober la viande, couvrir d'une pellicule de plastique et réfrigérer 6 h. Retourner la viande une fois au cours de cette période.

· Préchauffer le four à 180 °C (350 °F).

· Retirer le porc de la marinade. Dans une casserole, verser la marinade, ainsi que la sauce chili, le ketchup et le bouillon de bœuf. Saler et poivrer ; bien mélanger et faire cuire 8 minutes à feu moyen.

· Placer le porc dans une rôtissoire. Badigeonner généreusement de marinade et faire cuire au four pendant 1 h. Badigeonner la viande de marinade aux 10 minutes.

· Faire bouillir ce qu'il reste de marinade et servir avec le porc. Accompagner de riz et de tomates, si désiré.

Côtes levées aux tomates

4 PORTIONS

30 ml	huile d'olive	2 c. à soupe
1	gros oignon, haché	1
3	gousses d'ail, pelées et hachées	3
75 ml	vinaigre de cidre	⅓ tasse
156 ml	concentré de tomates en boîte	5 ½ oz
60 ml	miel	4 c. à soupe
2 ml	thym séché	½ c. à thé
2 ml	basilic séché	½ c. à thé
60 ml	sauce Worcestershire	4 c. à soupe
125 ml	bouillon de bœuf, chaud	½ tasse
	sel et poivre	
2 kg	côtes levées de porc	4 lb

· Dans une sauteuse, faire chauffer l'huile d'olive à feu moyen et y faire revenir l'oignon et l'ail à feu doux. Verser le vinaigre de cidre et faire cuire 3 minutes à feu vif.

· Incorporer le reste des ingrédients, sauf la viande. Poursuivre la cuisson 12 minutes à feu moyen.

· Verser la sauce sur le porc et laisser mariner 15 minutes.

· Préchauffer le four à 190 °C (375 °F).

· Placer le porc, le gras vers le haut, dans une rôtissoire. Badigeonner généreusement de marinade ; saler et poivrer. Faire cuire au four pendant 1 h. Badigeonner la viande de marinade aux 10 minutes. Si, durant la cuisson, la sauce adhère à la rôtissoire, verser un peu d'eau au fond de la poêle.

· Servir avec des haricots et des grelots, si désiré.

102

Filet de porc aux champignons

6 PORTIONS

60 ml	beurre	4 c. à soupe
1 kg	filet de porc, en cubes	2 lb
2	échalotes sèches, hachées	2
500 g	champignons de différentes sortes, tranchés	1 lb
15 ml	farine	1 c. à soupe
250 ml	sherry	1 tasse
500 ml	crème épaisse	2 tasses
	sel, poivre et paprika, au goût	

· Préchauffer le four à 180 °C (350 °F).

· Dans une poêle, faire fondre le beurre à feu moyen et y faire dorer le porc. Réserver dans un plat allant au four.

· Dans la même poêle, faire revenir les échalotes et les champignons jusqu'à ce qu'ils soient tendres. Saupoudrer de farine et faire cuire 2 minutes.

· Verser le sherry et la crème, assaisonner de sel, de poivre et de paprika. Laisser mijoter 5 minutes.

· Verser la sauce sur le porc, couvrir et faire cuire au four de 10 à 12 minutes. Servir avec du riz et des légumes vapeur, si désiré.

Côtelettes de porc au thym et au miel

4 PORTIONS

4	côtelettes de porc, chacune de 150 g (5 oz) environ	4
30 ml	huile végétale	2 c. à soupe
30 ml	jus de citron	2 c. à soupe
30 ml	miel	2 c. à soupe
10 ml	moutarde forte	2 c. à thé
5 ml	thym séché	1 c. à thé
	sel et poivre	

· Dégraisser les côtelettes de porc et les mettre dans un plat peu profond.

· Dans un bol, mélanger au fouet le reste des ingrédients. Verser sur les côtelettes, couvrir et réfrigérer 8 h, en retournant la viande plusieurs fois au cours de cette période.

· Préchauffer le four à 180 °C (350 °F).

· Égoutter les côtelettes de porc et les déposer dans un plat allant au four. Faire cuire 7 minutes. Retourner les côtelettes et poursuivre la cuisson 7 minutes. Arroser de temps à autre pendant la cuisson. Saler et poivrer de nouveau, puis servir avec des grelots, des carottes et des artichauts.

Note
Cette recette peut se préparer avec toutes les coupes de porc.

Côtelettes de porc à l'italienne

4 PORTIONS

50 ml	farine	¼ tasse
2 ml	origan séché	½ c. à thé
2 ml	thym séché	½ c. à thé
	poivre du moulin	
4	côtelettes de porc, maigres	4
15 ml	huile végétale	1 c. à soupe
45 ml	beurre	3 c. à soupe
1	sachet de préparation pour soupe aux légumes	1
500 ml	eau chaude	2 tasses
45 ml	sbrinz ou parmesan râpé	3 c. à soupe

· Préchauffer le four à 180 °C (350 °F).

· Dans un bol, mélanger la farine, l'origan, le thym et le poivre. En enrober les côtelettes de porc.

· Dans une poêle, faire chauffer l'huile végétale et le beurre à feu moyen et y faire cuire les côtelettes de porc de 4 à 5 minutes de chaque côté. Disposer ensuite la viande dans un plat allant au four.

· Dans un autre bol, diluer la préparation pour soupe dans l'eau chaude; verser sur les côtelettes. Parsemer de fromage et faire cuire au four de 10 à 15 minutes. Servir.

très très bon

105

Porc en croûte

2 PORTIONS

30 ml	beurre	2 c. à soupe
1	oignon, haché	1
375 ml	champignons hachés	1 ½ tasse
50 ml	vin blanc sec	¼ tasse
50 ml	crème à 15 %	¼ tasse
75 ml	cretons de porc	⅓ tasse
1	filet de porc d'environ 150 g (5 oz)	1
	poivre du moulin	
	une pincée de muscade	
1	rectangle de pâte feuilletée d'environ 20 x 12 cm (8 x 5 po)	
125 ml	épinards blanchis	½ tasse
1	jaune d'œuf	1
30 ml	lait	2 c. à soupe

· Dans une poêle, faire chauffer 15 ml (1 c. à soupe) de beurre à feu moyen et y faire revenir l'oignon et les champignons 5 minutes.

· Verser le vin blanc et faire cuire à feu doux jusqu'à ce que le liquide soit complètement évaporé. Incorporer la crème et faire cuire pour obtenir une préparation épaisse. Réserver et laisser refroidir.

· Incorporer les cretons à la préparation.

· Assaisonner le filet de porc de poivre et de muscade. Dans une poêle, faire dorer la viande à feu moyen-vif sur toutes ses faces.

· Préchauffer le four à 200 °C (400 °F).

· Étaler la pâte feuilletée sur une surface de travail. Au centre, répartir les épinards et la préparation aux champignons. Déposer le filet de porc sur la garniture.

· Refermer le feuilleté et sceller avec le jaune d'œuf mélangé au lait, puis en badigeonner la pâte.

· Déposer le feuilleté sur une plaque à pâtisserie et faire cuire au four de 15 à 20 minutes. Trancher et servir.

Filets de porc aux champignons en papillote

2 PORTIONS

2	petits filets de porc	2
1	gousse d'ail, coupée en 2	1
	poivre du moulin	
2 ml	thym frais haché	½ c. à thé
30 ml	beurre	2 c. à soupe
1	oignon, haché	1
2	branches de céleri, tranchées	2
375 ml	champignons tranchés	1 ½ tasse
60 ml	crème épaisse	4 c. à soupe
	persil frais haché	

· Préchauffer le four à 230 °C (450 °F).

· Éponger les filets de porc avec du papier absorbant et les frotter avec l'ail, le poivre et le thym.

· Dans une poêle, faire fondre 15 ml (1 c. à soupe) de beurre à feu vif et y faire dorer les filets de porc de 3 à 4 minutes. Les retirer de la poêle et déposer chacun sur une feuille de papier d'aluminium graissée ou sur du papier parcheminé.

· Dans la même poêle, ajouter le reste du beurre, et y faire revenir à feu vif l'oignon et le céleri 1 minute. Ajouter les champignons et faire cuire jusqu'à ce que le liquide soit complètement évaporé.

· Garnir chaque filet de la préparation aux champignons, de 30 ml (2 c. à soupe) de crème, parsemer de persil et envelopper pour obtenir des papillotes. Fermer hermétiquement.

· Les faire cuire au four, sur la grille du milieu, de 12 à 15 minutes. Servir immédiatement.

Casserole de porc aux champignons

2 PORTIONS

1	oignon, tranché	1
250 ml	champignons tranchés	1 tasse
4	côtelettes de porc, dégraissées	4
	poivre du moulin	
30 ml	persil frais haché	2 c. à soupe
1	boîte de crème de champignons de 284 ml (10 oz)	1
2	pommes de terre, pelées, coupées en tranches épaisses	2
30 ml	beurre	2 c. à soupe

· Préchauffer le four à 180 °C (350 °F).

· Graisser un plat allant au four et en garnir le fond d'oignon et de champignons. Déposer les côtelettes sur les légumes et poivrer. Parsemer de la moitié du persil.

· Verser la crème de champignons et couvrir de tranches de pommes de terre. Garnir de noisettes de beurre.

· Faire cuire au four environ 30 minutes.

· Parsemer du reste du persil et servir.

Porc braisé aux courgettes et aux haricots rouges

4 À 6 PORTIONS

2 ml	poivre blanc	½ c. à thé
2 ml	poivre noir	½ c. à thé
5 ml	origan	1 c. à thé
2 ml	thym	½ c. à thé
2 ml	poivre de Cayenne	½ c. à thé
2 ml	poudre d'ail	½ c. à thé
60 ml	farine	4 c. à soupe
1 kg	porc maigre désossé, en cubes	2 lb
45 ml	beurre	3 c. à soupe
	sel	
2	oignons, en dés	2
1	branche de céleri, tranchée	1
750 ml	bouillon de poulet	3 tasses
1	courgette, en dés	1
250 ml	haricots rouges, cuits	1 tasse

· Préchauffer le four à 160 °C (325 °F).

· Dans un bol, mélanger les 7 premiers ingrédients ; passer la viande dans cette farine assaisonnée.

· Dans une casserole allant au four, faire fondre le beurre à feu moyen et y saisir le porc sur toutes les faces pendant 10 minutes, ou jusqu'à ce que la farine adhère à la casserole. Saler.

· Ajouter les oignons et le céleri et poursuivre la cuisson 8 minutes.

· Verser le bouillon de poulet, saler encore et porter à ébullition. Couvrir et faire cuire au four 2 h.

· Quinze minutes avant la fin de la cuisson, ajouter la courgette et les haricots rouges. Mélanger, couvrir et remettre au four. Servir.

Cigares au chou

4 PORTIONS

375 ml	eau	1 ½ tasse
	une pincée de sel	
125 ml	riz brun à grains longs	½ tasse
15 ml	huile d'olive	1 c. à soupe
500 g	porc haché	1 lb
1	oignon, haché	1
1	carotte, râpée	1
4	champignons, hachés	4
4	œufs, battus	4
30 ml	parmesan râpé	2 c. à soupe
	sauce Tabasco	
	sel et poivre	
8	grandes feuilles de chou	8
50 ml	bouillon de poulet	¼ tasse
30 ml	sauce tamarin	2 c. à soupe

· Dans une casserole, porter l'eau et le sel à ébullition. Y faire cuire le riz 35 minutes ou jusqu'à ce qu'il soit tendre ou que le liquide soit absorbé.

· Dans une poêle, faire chauffer l'huile d'olive à feu moyen-vif et y faire revenir le porc haché, l'oignon, la carotte et les champignons jusqu'à ce qu'ils soient tendres.

· Incorporer le riz cuit et les œufs battus. Ajouter le parmesan, assaisonner de sauce Tabasco, de sel et de poivre. Couvrir et réserver.

· Préchauffer le four à 150 °C (300 °F).

· Dans une autre casserole remplie d'eau bouillante, blanchir les feuilles de chou jusqu'à ce qu'elles s'assouplissent. Les retirer et les étaler sur une surface de travail, le côté bombé vers le bas. Garnir les feuilles de chou de la farce au riz, puis les rouler en repliant les extrémités afin de bien emprisonner la farce.

· Disposer les rouleaux dans un plat allant au four, le côté replié vers le bas. Mélanger le bouillon de poulet et la sauce tamarin, puis verser sur les rouleaux. Faire cuire au four environ 30 minutes, ou jusqu'à ce que les rouleaux soient tendres.

Pain de viande poivré

6 À 8 PORTIONS

15 ml	huile d'olive	1 c. à soupe
1	oignon, haché finement	1
½	branche de céleri, en dés	½
3	échalotes sèches, hachées	3
1 ½	poivron rouge, haché	1 ½
2	gousses d'ail, pelées et hachées	2
30 ml	zeste de citron râpé	2 c. à soupe
5 ml	sauce Worcestershire	1 c. à thé
500 g	porc haché maigre	1 lb
375 g	veau haché	¾ lb
250 g	bœuf haché maigre	½ lb
	sel	
2	œufs	2
2 ml	thym	½ c. à thé
5 ml	basilic	1 c. à thé
1 ml	poivre de Cayenne	¼ c. à thé
1 ml	poivre noir	¼ c. à thé
1 ml	clou de girofle moulu	¼ c. à thé
1 ml	chili en poudre	¼ c. à thé
50 ml	chapelure	¼ tasse
45 ml	lait évaporé	3 c. à soupe
45 ml	sauce chili	3 c. à soupe

· Dans une poêle, faire chauffer l'huile d'olive à feu moyen-doux et y faire cuire l'oignon, le céleri, les échalotes, les poivrons et l'ail 6 minutes. Ajouter le zeste de citron et la sauce Worcestershire. Mélanger et poursuivre la cuisson 2 minutes. Retirer les légumes de la poêle et réserver.

· Préchauffer le four à 180 °C (350 °F).

· Au robot culinaire, mélanger le porc, le veau et le bœuf. Saler et mélanger 15 secondes. Ajouter les œufs et mélanger 1 minute.

· Dans un petit bol, mélanger le thym, le basilic, le poivre de Cayenne, le poivre noir, le clou de girofle, le chili en poudre. Incorporer à la viande. Ajouter la chapelure, le lait évaporé et la sauce chili. Mélanger 15 secondes.

· Transférer la préparation à la viande dans un bol, puis incorporer les légumes cuits à la cuillère. Verser le tout dans un moule à pain.

· Placer le moule dans un plat allant au four, contenant de 2,5 cm (1 po) d'eau. Faire cuire au four 50 minutes, à découvert.

· Augmenter la température du four à 200 °C (400 °F) et poursuivre la cuisson 6 minutes. Servir chaud.

Porc aux palourdes à la portugaise

4 PORTIONS

750 g	porc dans la cuisse, désossé, coupé en cubes	1 ½ lb
5 ml	sel d'ail	1 c. à thé
5 ml	paprika	1 c. à thé
	poivre du moulin	
250 ml	vin blanc sec	1 tasse
30 ml	beurre	2 c. à soupe
1	oignon, en rondelles	1
1	poivron rouge, en lanières	1
2	tomates, pelées, hachées	2
1	boîte de palourdes de 398 ml (14 oz), égouttées	1
30 ml	coriandre fraîche hachée	2 c. à soupe

· Saupoudrer la viande de sel d'ail, de paprika et de poivre. La mettre dans un plat qui ferme hermétiquement. Arroser de vin, fermer le plat et réfrigérer pendant 12 h.

· Égoutter la viande (réserver la marinade) et l'éponger avec du papier absorbant.

· Dans une poêle, faire fondre 15 ml (1 c. à soupe) de beurre et y faire dorer la viande environ 10 minutes, puis la transférer dans un plat allant au four.

· Préchauffer le four à 180 °C (350 °F).

· Déglacer la poêle avec la marinade et faire réduire 5 minutes. Verser la sauce sur la viande.

· Dans la même poêle, faire fondre le reste du beurre et y faire cuire l'oignon, le poivron et les tomates 4 minutes.

· Ajouter les palourdes, parsemer de coriandre et verser sur la viande ; faire cuire au four 10 minutes.

Ragoût de porc à la dijonnaise

4 PORTIONS

75 ml	cassonade	⅓ tasse
75 ml	farine	⅓ tasse
750 g	porc maigre, en cubes de 2,5 cm (1 po) de côté	1 ½ lb
50 ml	moutarde forte	¼ tasse
45 ml	huile végétale	3 c. à soupe
1	oignon, haché	1
2	gousses d'ail, hachées finement	2
250 ml	bouillon de poulet	1 tasse
125 ml	vin blanc sec	½ tasse
4	pommes de terre, pelées, en cubes de 2,5 cm (1 po) de côté	4
2	carottes, pelées et en rondelles poivre du moulin	2
50 ml	persil frais haché	¼ tasse

· Préchauffer le four à 180 °C (350 °F).

· Dans une assiette creuse, mélanger la cassonade et la farine.

· Badigeonner légèrement les cubes de porc de moutarde, puis les rouler dans le mélanger à la farine.

· Dans une poêle, faire chauffer l'huile végétale à feu moyen et y faire dorer les cubes de porc. Égoutter et tenir au chaud.

· Dans la même poêle, faire cuire l'oignon 2 minutes, ou jusqu'à ce qu'il ramollisse. Ajouter l'ail et le porc. Verser le bouillon de poulet et le vin blanc, porter à ébullition et faire cuire 1 minute.

· Verser la préparation dans un plat allant au four, puis ajouter les pommes de terre et les carottes. Mélanger, poivrer, couvrir et faire cuire au four environ 40 minutes, ou jusqu'à ce que la viande soit tendre. Parsemer de persil avant de servir.

Rôti de côtes hongrois

8 PORTIONS

2 kg	rôti de côtes croisées	4 lb
30 ml	huile végétale	2 c. à soupe
250 ml	oignons hachés	1 tasse
250 ml	carottes hachées	1 tasse
250 ml	céleri haché	1 tasse
250 ml	panais haché	1 tasse
250 ml	jus de raisin blanc non sucré	1 tasse
250 ml	bouillon de bœuf	1 tasse
125 ml	jambon haché	½ tasse
15 ml	fécule de maïs	1 c. à soupe
30 ml	eau froide	2 c. à soupe
	poivre du moulin	

· Préchauffer le four à 150 °C (300 °F).

· Éponger le rôti avec du papier absorbant.

· Dans une cocotte allant au four, faire chauffer l'huile végétale à feu moyen-vif et y faire dorer le rôti sur toutes ses faces. Retirer de la cocotte et réserver.

· Dans la cocotte, faire dorer les oignons en remuant souvent. Ajouter les carottes, le céleri, le panais, le jus de raisin, le bouillon de bœuf et le jambon. Porter à ébullition.

· Remettre le rôti dans la cocotte. Couvrir et faire cuire au four de 2 h 30 à 3 h. Le retourner à mi-cuisson. Sortir le rôti du four, couvrir et tenir au chaud.

· Dans un bol, diluer la fécule de maïs dans l'eau froide. Dégraisser le jus de cuisson, incorporer la fécule de maïs diluée, et faire cuire à feu doux, en remuant constamment, de 1 à 2 minutes, ou jusqu'à ce que la sauce épaississe. Poivrer.

· Napper la viande de sauce et servir.

Côtes de porc à la sauce aigre-douce

4 PORTIONS

15 ml	huile d'olive	1 c. à soupe
4	côtes de porc, chacune de 120 g (4 oz), dégraissées	4
1	oignon rouge, tranché	1
12	champignons, en quartiers	12
1	poivron vert, en dés	1
540 ml	tomates en dés, en boîte, égouttées	19 oz
15 ml	sauce Worcestershire	1 c. à soupe
30 ml	vinaigre de vin	2 c. à soupe
125 ml	sauce tomate	½ tasse
5 ml	sauce chili	1 c. à thé
30 ml	miel	2 c. à soupe
125 ml	bouillon de poulet	½ tasse
1 ml	thym séché	¼ c. à thé
5 ml	basilic séché	1 c. à thé

· Préchauffer le four à 180 °C (350 °F).

· Dans une poêle, faire chauffer l'huile d'olive à feu moyen et y faire brunir les côtes de porc des deux côtés. Les disposer ensuite les unes à côté des autres, dans un plat allant au four.

· Dans la même poêle, faire revenir à feu moyen-vif l'oignon, les champignons et le poivron 5 minutes. Verser sur les côtes de porc.

· Mettre le reste des ingrédients dans la poêle. Porter à ébullition, puis verser sur la viande. Faire cuire au four de 15 à 20 minutes. Arroser de sauce de temps à autre.

· Servir chaud.

Note
Avant de faire cuire les côtes de porc à la poêle, dégraissez-les et pratiquez des incisions dans les bords pour éviter qu'elles ne retroussent.

Filets de porc à la sauce au piment fort

4 PORTIONS

1	poivron rouge, épépiné	1
1	piment rouge fort, épépiné	1
45 ml	huile végétale	3 c. à soupe
30 ml	jus de citron	2 c. à soupe
	poivre du moulin	
2	filets de porc, chacun de 350 g (12 oz)	2

· Au robot culinaire, travailler les 5 premiers ingrédients pour obtenir un mélange lisse.

· Verser dans un plat peu profond, y placer les filets de porc et réfrigérer 3 h.

· Préchauffer le four à 180 °C (350 °F).

· Retirer les filets de la marinade. Dans une poêle, faire chauffer un peu d'huile végétale à feu moyen-vif et faire brunir les filets sur toutes les faces. Déposer les filets dans un plat allant au four et faire cuire au four de 10 à 15 minutes.

· Entre-temps, filtrer la marinade et n'en conserver que le liquide. Dans une petite casserole, le faire chauffer à feu vif 5 minutes. Trancher les filets et les servir nappés de cette sauce au piment. Accompagner de pâtissons et de courgettes, si désiré.

Côtelettes de porc et choucroute

4 PORTIONS

30 g	lard salé	1 oz
2	oignons, en dés	2
1	grosse boîte de choucroute	1
250 ml	vin blanc sec	1 tasse
250 ml	bouillon de poulet	1 tasse
15 ml	herbes de Provence	1 c. à soupe
	poivre	
4	côtelettes de porc	4

· Préchauffer le four à 190 °C (375 °F).

· Dans une casserole allant au four, faire chauffer le lard salé à feu moyen et y faire cuire les oignons 7 minutes.

· Bien rincer la choucroute sous l'eau froide pendant 3 minutes. Essorer et presser pour en extraire complètement l'eau.

· Mettre la choucroute dans la casserole. Incorporer le vin, le bouillon de poulet et les herbes de Provence. Poivrer, mélanger et porter à ébullition. Couvrir et faire cuire au four 2 h. Mélanger 2 fois pendant la cuisson.

· Trente minutes avant la fin de la cuisson, ajouter les côtelettes de porc. Couvrir et terminer la cuisson. Servir.

Côtes levées à la bière ambrée

8 PORTIONS

2 kg	trains de côtes de porc	4 lb
1 litre	bière ambrée	4 tasses
1,75 litre	eau	7 tasses
1	blanc de poireau, en dés	1
2	carottes, en dés	2
3	branches de céleri, en dés	3
2	gousses d'ail, hachées	2
30 ml	épices à mariner	2 c. à soupe
	sel	
500 ml	sauce barbecue	2 tasse

· Dans une grande casserole, mettre le porc et le couvrir de bière et d'eau.

· Ajouter le reste des ingrédients, sauf la sauce barbecue. Porter à ébullition, réduire le feu et laisser mijoter 2 h.

· Préchauffer le four à 200 °C (400 °F).

· Retirer les trains de côtes de la casserole et les passer sous l'eau froide. Lorsqu'il est possible de les tenir sans se brûler, retirer les membranes du dos.

· Déposer ensuite le porc sur une plaque à pâtisserie. Badigeonner de sauce barbecue et faire cuire au four 15 minutes ou encore sur le barbecue en badigeonnant souvent de sauce. Servir avec de la salade de chou, si désiré.

Médaillons de porc, sauce aux olives noires

2 PORTIONS

	poivre du moulin	
1	filet de porc	1
2	branches de thym ou d'origan frais	2
2	gousses d'ail, tranchées en deux	2
125 ml	huile d'olive	½ tasse
15 ml	beurre	1 c. à soupe

Sauce aux olives noires

30 ml	brandy	2 c. à soupe
1	échalote sèche	1
50 ml	vin blanc sec	¼ tasse
	jus de cuisson du porc	
50 ml	bouillon de poulet	¼ tasse
50 ml	crème à 35 % ou fromage à la crème	¼ tasse
60 g	olives noires, dénoyautées et réduites en purée	2 oz
	poivre du moulin	

· Poivrer le filet de porc et le déposer dans un plat avec le thym et l'ail. Arroser d'huile d'olive, couvrir d'une pellicule de plastique et réfrigérer 3 h.

· Retirer le filet de porc du plat et l'éponger avec du papier absorbant. Couper en médaillons épais de 2,5 cm (1 po). Aplatir la viande avec le plat de la lame d'un large couteau.

· Préchauffer le four à 200 °C (400 °F).

· Dans une poêle, faire chauffer le beurre à feu moyen-vif et y faire dorer les médaillons de porc des deux côtés.

· Les déposer dans un plat allant au four et poursuivre la cuisson au four 4 minutes. Réserver le jus de cuisson.

· Enlever le surplus de gras de la poêle et déglacer avec le brandy. Faire réduire à feu moyen jusqu'à ce que le liquide soit presque complètement évaporé.

· Ajouter l'échalote et le vin blanc. Poursuivre la cuisson 1 minute. Verser le jus de cuisson réservé ainsi que le bouillon de poulet. Faire réduire de moitié.

· Incorporer la crème et les olives noires, poivrer et faire réduire légèrement.

· Mettre les médaillons dans des assiettes et napper de sauce avant de servir. Accompagner de pois gourmands et d'une purée de courge musquée.

Chaussons de porc et d'aubergine

4 PORTIONS

½	aubergine, non pelée, coupée en cubes	½
2	échalotes sèches, hachées	2
2	gousses d'ail, hachées	2
15 ml	beurre	1 c. à soupe
150 g	porc maigre, en lanières	5 oz
1	poivron vert, en dés	1
1	pomme de terre, non pelée, en dés	1
375 ml	sauce tomate	1 ½ tasse
	poivre	
	une pincée de poudre de cari	
4 à 5	feuilles de pâte phyllo	4 à 5
30 à 45 ml	beurre fondu	2 à 3 c. à soupe

· Au robot culinaire, réduire en purée l'aubergine, l'échalote et l'ail.

· Dans une poêle, faire fondre le beurre et y faire revenir le porc de 2 à 3 minutes.

· Y ajouter la préparation à l'aubergine, le poivron, la pomme de terre et 125 ml (½ tasse) de sauce tomate. Laisser mijoter environ 5 minutes, puis assaisonner de poivre et de cari. Laisser tiédir à la température ambiante.

· Préchauffer le four à 230 °C (450 °F).

· Sur une surface de travail, superposer les feuilles de pâte phyllo. Badigeonner de beurre fondu. Couper en 4 carrés égaux.

· Répartir la préparation entre les carrés de pâte, puis replier la pâte pour former des chaussons.

· Badigeonner les bords de pâte de beurre fondu. Déposer sur une plaque à pâtisserie et faire cuire au four 15 minutes, ou jusqu'à ce que les chaussons soient bien dorés.

· Faire chauffer le reste de la sauce tomate, en napper le fond des assiettes et y déposer les chaussons. Servir.

Trains de côtes de porc, sauce au whisky

6 À 8 PORTIONS

3,5 kg	trains de côtes de porc	7 lb
5 ml	chacun des ingrédients suivants : poivre noir, paprika, poivre de Cayenne, thym séché, basilic	1 c. à thé
4	gousses d'ail, blanchies, pelées et en purée	4
125 ml	fumée liquide de noyer ou d'autre essence	½ tasse
30 ml	huile d'olive	2 c. à soupe

Sauce au whisky

45 ml	beurre	3 c. à soupe
1	branche de céleri, hachée	1
1	gros oignon, haché	1
2	gousses d'ail, hachées	2
60 ml	farine	4 c. à soupe
750 ml	bouillon de bœuf	3 tasses
60 ml	vinaigre de vin	4 c. à soupe
156 ml	concentré de tomates	5 ½ oz
60 ml	cassonade	4 c. à soupe
	sel et poivre	
45 ml	whisky	3 c. à soupe

- Plonger les trains de côtes dans une casserole remplie d'eau bouillante et les faire cuire 18 minutes. Les retirer de la casserole et les éponger.

- Dans un bol, mélanger le reste des ingrédients, sauf ceux de la sauce. Badigeonner le porc et le laisser mariner 15 minutes.

- Préchauffer le four à 180 °C (350 °F).

- Pour préparer la sauce, dans une casserole, faire fondre le beurre à feu moyen et y faire cuire le céleri, l'oignon et l'ail 6 minutes.

- Saupoudrer de farine et faire cuire 5 minutes à feu doux.

- Ajouter le reste des ingrédients, sauf le whisky, et faire cuire 16 minutes à feu doux.

- Incorporer le whisky.

- Déposer les trains de côtes dans un plat allant au four, couvrir de sauce au whisky et faire cuire au four 45 minutes. Retourner 2 fois pendant la cuisson. Servir avec des frites, si désiré.

Filets de porc braisés au vin blanc

4 PORTIONS

15 ml	huile d'olive	1 c. à soupe
30 ml	beurre	2 c. à soupe
2	filets de porc, dégraissés	2
	sel et poivre	
1	oignon, haché	1
1	gousse d'ail, hachée	1
500 g	champignons, tranchés en deux	1 lb
125 ml	vin blanc sec	½ tasse
500 ml	bouillon de poulet	2 tasses
30 ml	concentré de tomates	2 c. à soupe
2 ml	origan séché	½ c. à thé
15 ml	fécule de maïs	1 c. à soupe
45 ml	eau froide	3 c. à soupe

· Préchauffer le four à 180 °C (350 °F).

· Dans une sauteuse allant au four, faire chauffer l'huile d'olive et le beurre à feu moyen et y faire cuire le porc sur toutes ses faces, de 5 à 7 minutes. Saler et poivrer durant la cuisson. Retirer la viande de la sauteuse et réserver.

· Dans la sauteuse, faire cuire l'oignon et l'ail 3 minutes à feu moyen. Ajouter les champignons, saler et poivrer, puis poursuivre la cuisson 5 minutes à feu vif.

· Verser le vin et faire cuire 3 minutes. Incorporer le bouillon de poulet, le concentré de tomates et l'origan. Remettre le porc dans la sauce, couvrir et faire cuire au four de 10 à 15 minutes.

· Sortir la sauteuse du four, en retirer les filets et les couper en tranches épaisses de 1,25 cm (½ po).

· Dans un bol, diluer la fécule de maïs dans l'eau froide. Incorporer à la sauce et faire cuire 1 minute à feu moyen. Remettre la viande dans la sauteuse et laisser mijoter 2 minutes à feu doux avant de servir.

Filets de porc, sauce à l'orange et au poivre vert

6 PORTIONS

2	filets de porc, de 500 g (1 lb) chacun	2
15 ml	farine	1 c. à soupe
15 ml	huile végétale	1 c. à soupe
1	gousse d'ail, hachée	1
	sel et poivre	
	zeste d'orange en lanières	
50 ml	vin blanc sec	¼ tasse
30 ml	concentré de jus d'orange surgelé	2 c. à soupe
10 ml	grains de poivre vert	2 c. à thé
125 ml	crème épaisse	½ tasse

· Préchauffer le four à 190 °C (375 °F).

· Enrober le porc de farine. Dans une poêle allant au four, faire chauffer l'huile végétale et y faire brunir les filets sur toutes leurs faces. Parsemer d'ail, de sel et de poivre. Garnir de zeste d'orange et transférer dans un plat allant au four.

· Faire rôtir au four environ 12 minutes, ou jusqu'à ce que le thermomètre à viande indique 70 °C (160 °F). La viande devrait être à peine rosée. Retirer les filets du plat, les couvrir d'une feuille de papier d'aluminium et laisser reposer 5 minutes.

· Retirer le surplus de gras de la poêle. Déglacer avec le vin blanc. Ajouter le jus d'orange et les grains de poivre vert. Faire chauffer à feu moyen jusqu'à ce que le liquide ait réduit de moitié, en raclant bien le fond de la poêle.

· Réduire le feu à doux et incorporer la crème. Laisser mijoter environ 1 minute, ou jusqu'à ce que la sauce soit crémeuse.

· Trancher les filets et servir la viande nappée de sauce à l'orange et au poivre vert.

Note
Le goût légèrement sucré des rutabagas rehausse délicieusement la saveur du porc. Coupez les rutabagas en dés et faites-les dorer à feu moyen dans un peu de beurre ou d'huile.

Côtelettes de porc aux pommes

4 PORTIONS

	sel et poivre	
8	côtelettes de porc, épaisses de 2 cm (¾ po), dégraissées	8
15 ml	huile végétale	1 c. à soupe
1	gousse d'ail, coupée en trois	1
30 ml	beurre	2 c. à soupe
3	grosses pommes, pelées et tranchées	3
	jus de 1 citron	
15 ml	sirop d'érable	1 c. à soupe
	une pincée de cannelle	
30 ml	yogourt nature	2 c. à soupe

· Saler et poivrer les côtelettes.

· Dans une poêle, faire chauffer l'huile végétale et y faire cuire l'ail 2 minutes, en remuant. Retirer ensuite l'ail de la poêle.

· Dans la même poêle, faire cuire les côtelettes de 3 à 5 minutes de chaque côté. Réserver au chaud.

· Toujours dans la poêle, faire fondre le beurre à feu moyen et y faire cuire les pommes, le jus de citron et le sirop d'érable de 7 à 8 minutes, à couvert.

· Incorporer la cannelle et poursuivre la cuisson 2 minutes. Ajouter le yogourt et laisser mijoter quelques secondes. Servir avec les côtelettes de porc chaudes. Accompagner d'asperges, si désiré.

Filets farcis aux abricots et à la poire

4 PORTIONS

12	abricots séchés, sans noyau	12
2	filets de porc	2
	sel et poivre	
1	poire, non pelée, en cubes	1
	jus de ½ citron	
45 ml	huile d'olive	3 c. à soupe
45 ml	beurre	3 c. à soupe
175 ml	vin blanc	¾ tasse
175 ml	crème épaisse	¾ tasse

· Dans une casserole, couvrir les abricots d'eau froide et porter à ébullition. Retirer la casserole du feu et faire tremper 30 minutes. Égoutter et hacher.

· Préchauffer le four à 180 °C (350 °F).

· Pratiquer une incision le long de chaque filet pour former une poche. Saler et poivrer.

· Arroser la poire de jus de citron. Remplir les poches de morceaux d'abricot et de poire. Ficeler la viande.

· Dans une poêle allant au four, faire chauffer l'huile d'olive et le beurre et y faire dorer les filets de porc sur toutes leurs faces. Dégraisser, verser ensuite le vin et la crème. Porter à ébullition, couvrir et faire cuire au four 15 minutes.

· Déposer les filets dans un plat de service. Dégraisser la sauce, porter à ébullition et laisser mijoter quelques minutes. Servir avec la viande. Accompagner de choux de Bruxelles, si désiré.

Filets farcis à la pomme

4 PORTIONS

15 ml	beurre	1 c. à soupe
2	gousses d'ail, blanchies et en purée	2
3	échalotes sèches, hachées	3
1	pomme, pelée et hachée finement	1
1 ml	poivre de Cayenne	¼ c. à thé
5 ml	basilic haché	1 c. à thé
	sel et poivre	
2	tranches de pain parisien, écroûtées, en cubes et trempés dans du lait	2
30 ml	gruyère râpé	2 c. à soupe
2	filets de porc, dégraissés huile végétale	

· Dans une casserole, faire fondre le beurre à feu moyen et y faire cuire l'ail et les échalotes sèches 2 minutes.

· Ajouter la pomme, le poivre de Cayenne et le basilic. Saler et poivrer ; faire cuire 4 minutes.

· Presser le pain pour en extraire le surplus de lait. Ajouter le pain à la casserole, puis le fromage. Mélanger et retirer la casserole du feu.

· Verser la préparation dans le bol du robot culinaire et mélanger.

· Couper les filets de porc en deux, dans le sens de la longueur, aux trois quarts de leur épaisseur. Les ouvrir en papillon et les placer entre deux feuilles de papier sulfurisé, puis les aplatir à l'aide d'un maillet.

· Étaler la farce sur chaque filet, rouler et ficeler. Badigeonner d'huile végétale. Déposer les filets dans un plat allant au four.

· Préchauffer le gril du four et faire dorer la viande 20 minutes. Assaisonner au goût. Retourner les filets 2 ou 3 fois durant la cuisson. Servir.

Note
Cette recette se prépare aussi au barbecue.

Rôti de longe de porc aux figues

4 À 6 PORTIONS

Compote de figues

4	rondelles de citron, hachées finement avec le zeste	4
125 ml	sucre	½ tasse
500 g	figues fraîches, lavées et coupées en deux	1 lb
5 ml	vanille	1 c. à thé
250 ml	eau	1 tasse
90 ml	vin blanc	6 c. à soupe

Rôti de porc

1 kg	rôti de longe de porc	2 lb
15 ml	huile d'olive	1 c. à soupe
	sel et poivre du moulin	
12	petits oignons blancs entiers, pelés	12
6	échalotes sèches, entières, pelées	6
2 ml	paprika	½ c. à thé

· Dans une casserole, porter à ébullition tous les ingrédients de la compote de figues.

· Réduire le feu à doux et poursuivre la cuisson 20 minutes.

· Préchauffer le four à 180 °C (350 °F).

· Déposer la longe de porc dans une rôtissoire et la badigeonner d'huile d'olive. Saler et poivrer. Ajouter les petits oignons blancs et les échalotes. Saupoudrer de paprika et faire cuire au four 30 minutes.

· Sortir du four. Étaler la compote de figues sur le rôti. Remettre au four et poursuivre la cuisson 30 minutes. Servir.

Filets de porc à l'orange

4 PORTIONS

30 ml	beurre	2 c. à soupe
30 ml	oignon haché	2 c. à soupe
2	filets de porc, dégraissés	2
	sel, poivre et paprika	
	jus de 1 ½ orange	
375 ml	bouillon de poulet, chaud	1 ½ tasse
15 ml	fécule de maïs	1 c. à soupe
30 ml	eau froide	2 c. à soupe
	zeste de 1 orange	
1	orange, tranchée	1

· Préchauffer le four à 180 °C (350 °F).

· Dans une cocotte, faire fondre le beurre à feu moyen. Ajouter l'oignon et les filets de porc. Les faire cuire de 3 à 4 minutes de chaque côté. Assaisonner de sel, de poivre et de paprika.

· Ajouter le jus d'orange et faire cuire à feu vif 2 minutes.

· Verser le bouillon de poulet et faire cuire au four de 10 à 12 minutes, selon l'épaisseur des filets.

· Retirer les filets de la cocotte et les déposer dans un plat de service chaud. Remettre la cocotte sur le feu.

· Dans un bol, diluer la fécule de maïs dans l'eau froide. Incorporer à la cocotte et faire cuire à feu vif de 3 à 4 minutes. Rectifier l'assaisonnement.

· Ajouter le zeste et les tranches d'orange et poursuivre la cuisson 1 minute ; bien mélanger.

· Déposer les filets de porc dans la sauce et faire cuire à feu doux 2 minutes avant de servir.

Longe de porc au gingembre et à la mangue

4 PORTIONS

Marinade

50 ml	marmelade	¼ tasse
30 ml	sherry	2 c. à soupe
30 ml	gingembre frais haché	2 c. à soupe
10 ml	ail haché	2 c. à thé
10 ml	moutarde forte	2 c. à thé
10 ml	sauce soya	2 c. à thé
10 ml	huile de sésame	2 c. à thé
5 ml	zeste de citron râpé	1 c. à thé
750 g	rôti de porc, sans os ni gras	1 ½ lb

Garniture

1	mangue, pelée, en dés	1
125 ml	oignon rouge, en dés	½ tasse
125 ml	concombre, en dés	½ tasse
30 ml	jus de lime	2 c. à soupe
2 ml	zeste de lime râpé	½ c. à thé
1 ml	cumin ou cari en poudre	¼ c. à thé

· Dans un plat allant au four, mélanger tous les ingrédients de la marinade. Y déposer le rôti de porc et bien l'enrober de marinade. Couvrir et réfrigérer au moins 4 h. Retourner la viande de temps à autre.

· Dans un petit bol, mélanger tous les ingrédients de la garniture. Couvrir et laisser macérer de 1 h à 2 h.

· Préchauffer le four à 180 °C (350 °F).

· Faire cuire le rôti au four, à découvert, de 1 h 30 à 2 h, en l'arrosant souvent de marinade durant la cuisson.

· Sortir le rôti du four et le laisser reposer quelques minutes avant de le trancher. Servir avec la garniture à la mangue.

Note
Pour réaliser cette recette plus rapidement, utilisez des filets de porc.

Côtelettes de porc piquantes aux pêches

4 PORTIONS

30 ml	huile végétale	2 c. à soupe
4	côtelettes de porc, maigre	4
	poivre	
2 ml	thym séché	½ c. à thé
30 ml	vinaigre blanc	2 c. à soupe
75 ml	confiture de pêches	⅓ tasse
15 ml	moutarde forte	1 c. à soupe
1	gousse d'ail, hachée	1
	une pincée de piments forts broyés	

· Préchauffer le four à 180 °C (350 °F).

· Dans une poêle, faire chauffer l'huile végétale et y faire dorer les côtelettes de porc de chaque côté. Assaisonner de poivre et de thym.

· Déposer les côtelettes dans un plat allant au four et faire cuire au four de 7 à 10 minutes.

· Entre-temps, dans la poêle, porter à ébullition le reste des ingrédients.

· Verser sur les côtelettes et poursuivre la cuisson au four 5 minutes. Accompagner de pois mange-tout, de chou chinois et de châtaignes d'eau, si désiré.

Rôti de porc aux pruneaux

6 PORTIONS

1 kg	rôti de porc dans le filet ou le carré de côtes	2 lb
	grains de poivre écrasés	
45 ml	huile végétale	3 c. à soupe
300 g	pruneaux secs dénoyautés	10 oz
	sel et poivre	

· Préchauffer le four à 220 °C (425 °F).

· Rouler le rôti dans les grains de poivre, en pressant bien pour qu'ils s'incrustent dans la viande. Badigeonner d'huile végétale toutes les faces. Déposer dans une rôtissoire.

· Faire cuire au four 15 minutes. Retourner le rôti, réduire la température du four à 200 °C (400 °F) et poursuivre la cuisson 15 minutes. Retourner le rôti une fois de plus, réduire la température du four à 180 °C (350 °F) et faire cuire encore 30 minutes.

· Pendant que le rôti cuit, mettre les pruneaux dans la casserole et les couvrir d'eau froide. Porter à ébullition, puis retirer du feu. Laisser les pruneaux dans l'eau pour qu'ils gonflent.

· Dix minutes avant que le rôti ne soit prêt, retirer le jus de cuisson de la rôtissoire et le verser dans une petite poêle. Ajouter les pruneaux égouttés, saler et poivrer.

· Déposer le rôti dans un plat de service et entourer de préparation aux pruneaux. Servir.

Médaillons de porc aux poires

2 PORTIONS

1	filet de porc, tranché en médaillons	1
1	poire, non pelée	1
15 ml	huile d'olive	1 c. à soupe
	poivre	
1	gousse d'ail, hachée	1
1	échalote sèche, hachée	1
45 ml	vinaigre balsamique	3 c. à soupe
175 ml	sauce brune	¾ tasse

· Avec le plat d'un couteau à large lame, aplatir chaque médaillon de porc à une épaisseur de 1,25 cm (½ po).

· Couper la poire en deux, retirer le cœur et couper la chair d'abord en tranches minces, puis en julienne.

· Dans une poêle, faire chauffer l'huile d'olive à feu moyen et y faire revenir les médaillons environ 3 minutes de chaque côté, ou jusqu'à ce qu'ils soient cuits. Les retirer de la poêle, les poivrer et les tenir au chaud.

· Réduire le feu à doux. Dans la même poêle, faire sauter l'ail et l'échalote 1 minute, puis verser le vinaigre balsamique.

· Ajouter la poire en julienne ; faire réduire jusqu'à ce que le liquide soit complètement évaporé. Ajouter la sauce brune et laisser mijoter un peu.

· Déposer les médaillons dans des assiettes chaudes et napper de sauce à la poire. Servir avec du broco-fleur.

Jarret de porc aux pommes sur riz

8 PORTIONS

	sel et poivre	
1 kg	jarret de porc, dégraissé, en cubes	2 lb
30 ml	beurre	2 c. à soupe
250 ml	jus de pomme	1 tasse
250 ml	sherry	1 tasse
4	pommes, pelées, tranchées	4
15 ml	farine	1 c. à soupe
45 ml	eau	3 c. à soupe
1 litre	riz cuit, chaud	4 tasses

· Saler et poivrer la viande.

· Dans une poêle, faire fondre le beurre à feu moyen et y faire dorer les cubes de porc.

· Verser le jus de pomme et le sherry. Laisser mijoter jusqu'à ce que la viande soit cuite.

· Ajouter les pommes et poursuivre la cuisson 5 minutes.

· Dans un petit bol, mélanger la farine et l'eau pour former une boule de pâte ; incorporer à la sauce et laisser mijoter jusqu'à ce qu'elle épaississe.

· Servir la préparation au porc sur le riz.

Escalopes de porc aux raisins secs

6 PORTIONS

50 ml	vin blanc	¼ tasse
50 ml	bouillon de poulet	¼ tasse
125 ml	raisins secs	½ tasse
1 kg	escalopes de porc	2 lb
	sel et poivre	
250 ml	crème à 15 %	1 tasse
30 ml	persil haché	2 c. à soupe

Note
Ce plat se marie bien avec de la choucroute à laquelle on aura ajouté du raisin frais, sans pépins, avant de la faire chauffer.

· Dans un bol, verser le vin blanc et le bouillon de poulet. Y faire tremper les raisins secs 15 minutes.

· Dans une poêle à revêtement antiadhésif, faire cuire les escalopes 6 minutes à feu moyen, en les retournant une seule fois pendant la cuisson.

· Ajouter les raisins ainsi que le liquide. Saler et poivrer, puis faire réduire 5 minutes.

· Incorporer la crème et poursuivre la cuisson 5 minutes.

· Parsemer de persil et servir immédiatement. Accompagner de betteraves et de broco-fleur, si désiré.

Avec des pâtes

Fettuccine à la pancetta

4 PORTIONS

15 ml	huile d'olive	1 c. à soupe
2	gousses d'ail, hachées	2
5	tranches de pancetta douce, en lanières	5
125 ml	vin blanc sec	½ tasse
2	œufs	2
	poivre du moulin	
50 ml	pecorino râpé	¼ tasse
150 ml	parmesan râpé	⅔ tasse
4	portions de fettuccine, cuites et chaudes	4
	persil frais haché	

· Dans une sauteuse, faire chauffer l'huile d'olive à feu moyen et y faire cuire l'ail et la pancetta 3 minutes.

· Arroser de vin et poursuivre la cuisson de 2 à 3 minutes. Retirer la sauteuse du feu et réserver.

· Dans un bol, fouetter les œufs et les poivrer. Bien incorporer les deux sortes de fromage. Verser la préparation sur les pâtes chaudes et égouttées et mélanger rapidement. Poivrer de nouveau. Incorporer l'ail et la pancetta. Parsemer de persil et servir.

Filet de porc sauté aux pâtes

4 PORTIONS

45 ml	huile d'olive	3 c. à soupe
1	filet de porc, coupé en tranches épaisses de 1,25 cm (½ po)	1
	sel et poivre du moulin	
½	branche de céleri, tranchée	½
1	poivron jaune, en lanières	1
1	poivron vert, en lanières	1
1	petit piment fort, haché	1
2	gousses d'ail, hachées	2
125 ml	vin blanc sec	½ tasse
125 ml	pignons	½ tasse
350 g	penne ou conchiglie, cuites *al dente*	¾ lb
125 ml	asagio râpé	½ tasse

· Dans une poêle, faire chauffer l'huile d'olive à feu moyen et y faire cuire le porc 2 minutes. Retourner la viande, saler et poivrer, et poursuivre la cuisson 2 minutes. Retirer de la poêle.

· Dans la même poêle, faire cuire le céleri, les poivrons, le piment fort et l'ail 4 minutes à feu vif. Saler et poivrer, puis verser le vin et poursuivre la cuisson 2 minutes.

· Remettre le porc dans la poêle. Incorporer les pignons et les pâtes chaudes. Parsemer de la moitié du fromage râpé, rectifier l'assaisonnement et laisser mijoter 2 minutes.

· Servir avec le reste du fromage.

Linguine à la sicilienne

4 PORTIONS

15 ml	huile d'olive	1 c. à soupe
2	oignons verts, hachés	2
1	poivron jaune, en lanières	1
1	échalote sèche, hachée	1
30 ml	basilic haché	2 c. à soupe
1	saucisse de porc épicée, cuite et en rondelles	1
225 g	champignons, tranchés	7 oz
	sel et poivre du moulin	
375 ml	bouillon de poulet	1 ½ tasse
15 ml	fécule de maïs	1 c. à soupe
45 ml	eau froide	3 c. à soupe
4	portions de linguine, cuites et chaudes	4

· Dans une poêle, faire chauffer l'huile d'olive à feu moyen-vif et y faire cuire les oignons verts, le poivron, l'échalote, le basilic et la saucisse 3 minutes.

· Ajouter les champignons, saler et poivrer, puis faire cuire 3 minutes à feu moyen.

· Verser le bouillon de poulet et porter à ébullition.

· Dans un bol, diluer la fécule de maïs dans l'eau froide. Incorporer à la sauce et faire cuire 2 minutes à feu doux.

· Verser la sauce sur les pâtes chaudes, mélanger et servir.

Filet de porc à l'italienne

8 PORTIONS

60 ml	huile d'olive	4 c. à soupe
1 kg	filet de porc, en cubes	2 lb
1	gousse d'ail, en purée	1
1	blanc de poireau, haché	1
1	poivron vert, en dés	1
1	carotte, en dés	1
225 g	petits champignons	7 oz
750 ml	tomates, épépinées et hachées	3 tasses
15 ml	herbes de Provence sel et poivre du moulin	1 c. à soupe
500 g	linguine	1 lb

· Dans une grande poêle, faire chauffer l'huile d'olive à feu moyen et y faire revenir les cubes de porc. Retirer de la poêle et réserver.

· Dans la même poêle, faire sauter l'ail, le poireau, le poivron, la carotte et les champignons jusqu'à ce qu'ils soient tendres.

· Incorporer les tomates et les herbes de Provence ; saler et poivrer. Laisser mijoter doucement 20 minutes.

· Remettre le porc dans la poêle et poursuivre la cuisson 5 minutes, ou selon le degré de cuisson désiré pour la viande.

· Entre-temps, dans une casserole remplie d'eau bouillante, faire cuire les pâtes *al dente*. Les égoutter et les servir avec le porc et les légumes.

Casserole gratinée aux nouilles et au jambon

4 PORTIONS

30 ml	beurre	2 c. à soupe
1	gousse d'ail, hachée	1
125 ml	oignon haché	½ tasse
125 ml	poivron vert, en petits dés	½ tasse
1	boîte de crème de champignons de 284 ml (10 oz)	1
175 ml	yogourt nature	¾ tasse
300 g	nouilles aux œufs ou autres, cuites	10 oz
375 ml	mozzarella râpée	1 ½ tasse
500 ml	jambon, en dés	2 tasses
	persil frais haché	

- Préchauffer le four à 180 °C (350 °F).

- Dans une poêle, faire fondre le beurre et y faire revenir l'ail, l'oignon et le poivron.

- Retirer du feu et, en remuant continuellement, incorporer la crème de champignons et le yogourt.

- Huiler légèrement un plat allant au four et y superposer en couches, les nouilles, le fromage, le jambon, puis la sauce aux légumes et aux champignons. Terminer par une couche de fromage et parsemer de persil haché.

- Faire cuire au four de 30 à 45 minutes. Servir chaud.

Note
Ajoutez une gousse d'ail et du persil frais haché à la sauce avant de mettre le plat au four.

Pâtes aux pistaches et au prosciutto

2 PORTIONS

45 ml	vin blanc ou vermouth blanc sec	3 c. à soupe
45 ml	pistaches hachées	3 c. à soupe
250 ml	sauce tomate aux fines herbes et à l'ail	1 tasse
30 ml	persil frais haché	2 c. à soupe
30 ml	crème à 15 % ou fromage à la crème	2 c. à soupe
	poivre du moulin	
	une pincée de muscade	
200 g	linguine ou autres pâtes, cuites et chaudes	
4	fines tranches de prosciutto, en lanières	4

· Dans une poêle, faire chauffer le vin blanc et les pistaches à feu moyen jusqu'à ce que le liquide soit presque complètement évaporé.

· Ajouter la sauce tomate et le persil et faire cuire à feu très doux 2 minutes.

· Incorporer la crème, poivrer et parsemer de muscade.

· Répartir les pâtes entre deux assiettes et garnir de prosciutto. Napper de sauce et servir immédiatement.

Note
Le prosciutto est un jambon cru qui est séché, saumuré par un salage et parfois fumé. Ce jambon est généralement très salé.

Rigatoni à la saucisse et aux aubergines

4 PORTIONS

300 g	saucisses de porc	10 oz
250 ml	aubergine, non pelée et en dés	1 tasse
1	poivron rouge, en dés	1
1	poivron vert, en dés	1
1	gousse d'ail, hachée	1
1	boîte de tomates de 540 ml (19 oz)	1
15 ml	herbes de Provence	1 c. à soupe
	poivre du moulin	
300 g	rigatoni	10 oz

Note
Vous pouvez remplacer les aubergines par des courgettes.

- Couper les saucisses en rondelles épaisses de 2,5 cm (1 po). Les mettre dans une poêle avec 50 ml (¼ tasse) d'eau et faire cuire à découvert, à feu moyen. Laisser l'eau s'évaporer, puis faire dorer légèrement les saucisses.

- Ajouter l'aubergine et faire cuire à feu moyen, 15 minutes. Remuer de temps à autre. Incorporer les poivrons et l'ail. Faire cuire 3 minutes.

- Ajouter les tomates et les herbes de Provence. Écraser les tomates avec le dos d'une cuillère en bois. Laisser mijoter 5 minutes à découvert. Poivrer.

- Entre-temps, faire cuire les rigatoni dans de l'eau bouillante salée jusqu'à ce qu'ils soient *al dente*. Les égoutter et les incorporer à la préparation aux saucisses. Servir immédiatement.

Émincé de porc à l'italienne

4 PORTIONS

30 ml	huile végétale	2 c. à soupe
750 g	longe de porc, en fines lanières	1 ½ lb
	sel et poivre	
1	gousse d'ail, hachée	1
15 ml	beurre	1 c. à soupe
225 g	champignons, tranchés	7 oz
500 ml	sauce tomate, chaude	2 tasses
½	poivron vert, tranché	½
4	portions de pâtes cuites, chaudes	4

· Dans une poêle, faire chauffer l'huile végétale à feu moyen-vif et y faire sauter le porc 4 minutes. Saler et poivrer.

· Ajouter l'ail et faire cuire 1 minute. Retirer la viande de la poêle et réserver.

· Dans la même poêle, faire fondre le beurre et y faire cuire les champignons de 4 à 5 minutes. Saler et poivrer. Remuer de temps à autre.

· Incorporer la sauce tomate et le poivron. Porter à ébullition et faire cuire 2 minutes.

· Remettre la viande dans la poêle et la faire chauffer quelques minutes avant de servir la préparation sur les pâtes.

Index